KT-567-847

BIBLIOTECA DELLA FENICE

Titolo originale: *The Prophet*
Le illustrazioni, collocate alla fine del volume,
sono dell'Autore.

ISBN 88-7746-015-6

Prima edizione 1981
Tredicesima edizione febbraio 1992

Gibran Kahlil Gibran
Il Profeta

Prefazione di Carlo Bo
Introduzione e traduzione di Gian Piero Bona
Testo inglese a fronte

UGO GUANDA EDITORE
IN PARMA

Poesia e profezia

di Carlo Bo

Il poema che Bona presenta ai suoi lettori italiani non ha soltanto un valore di documento, non è un testo da aggiungere al patrimonio delle proprie conoscenze e delle proprie abitudini, è anche qualcosa d'altro e subito consente un discorso sui destini della poesia. Resta, cioè, da affrontare un problema: perché la poesia cade fatalmente, nei momenti di maggior intensità, in questa sua prima aspirazione, in questa sua originaria vocazione? Non bastano i riferimenti culturali, o per lo meno, aiutano fino a un certo punto: parlare di Zarathustra è indispensabile, è utile ma non risolve. Ciò significa che Gibran ha obbedito a un altro impulso e ha creduto di poter rifare la storia dell'uomo tagliando alle radici la pianta delle facili consolazioni e rifiutando la lettura delle cose. Naturalmente tale aspirazione deve essere sostenuta da una autentica passione; a un testo così ambizioso è indispensabile una partecipazione in profondità. D'altra parte, tutta la poesia dell'ultimo secolo si dispone su questa doppia lezione. C'è chi ha accettato il gusto dell'immediata consonanza e non ha avuto paura di apparire come un chiosatore della piccola cronaca quotidiana e c'è invece chi ha voluto gettare lo scandaglio su tutt'altro fondo ed eliminare tutto quanto è episodico, temporale, non eternizzabile dell'uomo. Dove nella diversa disposizione c'è implicita una doppia concezione della poesia, una diversa idea delle sue funzioni. Chi sceglie la musa minore, rinuncia all'ultima grazia e sceglie di restare per un'*eternità limitata*, quale può offrire una particolare estetica del momento, oggetto suscettibile di sentimenti o di sensazioni. C'è chi punta grosso, c'è chi vede in grande. Ora è proprio in questa famiglia che dobbiamo mettere Gibran. Caso mai, è da osservare come la sua scelta sia avvenuta in un tempo che non indulgeva a queste soluzioni. Negli stessi anni in cui scriveva *Il Profeta* la grande poesia preferiva prolungare uno stato di attesa e soltanto in casi rarissimi dava la scalata alle vette dell'invocazione profetica. Claudel o Ungaretti, tutto Claudel con la sua assoluta imperturbabilità e un certo Ungaretti, sono i primi due nomi che ci vengono alla memoria ma si tratta, comunque, di un territorio ridotto rispetto all'altro delle sottili, perfide infiltrazioni nel mondo della realtà quotidiana. È chiaro che le due soluzioni vanno riportate alle filosofie che le hanno ispirate e soprattutto alla diversa intelligenza dei poteri della poesia. Claudel, attaccato alla visione cattolica del mondo, finiva per identificarsi nell'immagine del cantore e dell'esaltatore della vita e del mondo. Ungaretti, operato il suo primo tentativo di restaurare i poteri della parola, cedeva piuttosto al peso della disperazione e i suoi gridi sono gridi di un uomo che conosce la misura della pietà. Gibran si pone su un altro piano, per vivere, per parlare, per dare corpo al suo discorso di « profeta » deve soltanto rifarsi alla grande tradizione del suo mondo.

Ecco perché Nietzsche, pur così presente, non ci dà l'ultima parola e resta un riferimento culturale. Ciò che conta e colpisce ancor oggi il lettore nel discorso di Gibran è *il resto* della sua invocazione, è tutto quanto ha derivato dalle sue impressioni e dai suoi dolori. Se non fosse stato così, sarebbe rimasto nell'ambito della più stanca e vieta letteratura: non avrebbe titoli per essere riproposto alla lettura dopo tanti anni. Del resto, le sue parole ci colpiscono proprio là dove restiamo affidati esclusivamente alle nostre ragioni e nel momento dei conti definitivi. Gibran vive perché ha puntato sullo Spirito o, per dirla più semplicemente, la sua poesia si inchina di fronte alla profezia, a un altro discorso. Allo stesso modo che la poesia deve sostituire la realtà, renderla diversa, materia eterna, l'invocazione spirituale di Gibran tende fatalmente a risolversi in abbandono, a frantumarsi in parole non umane, a rifarsi in un'altra ambizione più alta, assoluta.

« Anche un discorso confuso rinforza una debole lingua », se avessimo bisogno di un metro per confrontare quest'opera di Gibran con quella degli altri poeti del suo tempo sceglieremmo proprio questa raccomandazione, in cui – se non andiamo errati – viene restituita alla invenzione poetica una seconda dignità.

D'altra parte Gibran ha sempre cercato di non limitare le sue invocazioni nell'ambito dei sentimenti o delle sensazioni estenuate ma piuttosto si è sforzato di illuminare il frutto delle sue ricerche con la luce che gli veniva dallo Spirito, dalla prima scelta con cui si era in fondo distinto da tutti gli altri nell'esercizio della poesia.

« L'uomo muta nelle esigenze ma non nell'amore », c'è – dunque – una costante dei rapporti fra uomo e Spirito che costituisce per Gibran il primo termine del suo lungo contrasto con la realtà e i suoi simboli. Di qui l'apparente didascalismo del suo discorso che in effetti va spiegato con il bisogno di essere più liberi, meno legati alla fangosa pronuncia delle nostre cose. Come si vede, qualsiasi direzione si intenda dare al nostro commento, si finisce sempre per mettere in rilievo l'altezza del punto di partenza, l'altezza dell'invocazione. Il resto non è che conseguenza ed è per questo che là dove il suo modo di parlare sembra più astratto, è proprio là che diventa più umano, più radicato nella verità, più affrancato dalla semplice logica delle estetiche apparenti.

Kahlil Gibran e « Il Profeta »

di Gian Piero Bona

Gibran Kahlil Gibran* nacque il 6 dicembre 1883 a Bisharri, nel Libano, e morì il 10 aprile 1931 a Nuova York. Fu poeta, filosofo, pittore, e considerato nei paesi arabi il genio della sua epoca. Ma la sua fama si diffuse ben al di là del vicino Oriente; la sua poesia fu tradotta in più di venti lingue, e i suoi disegni e dipinti furono esposti nelle grandi capitali del mondo e paragonate da Augusto Rodin alle opere di William Blake. Negli Stati Uniti, dove abitò gli ultimi vent'anni della sua vita, scrisse in inglese *Il Profeta* che, pubblicato nel 1923 con le sue simboliche illustrazioni, fu accolto dalla critica come un vero capolavoro e ben presto prediletto da milioni di lettori come un classico del suo tempo. In America scrisse e pubblicò le sue opere migliori, quelle della maturità: *The Forerunner* (Knopf, 1920), *The Madman* (Knopf, 1920), *Sand and Foam* (Knopf, 1926), *Jesus the Son of Man* (Knopf, 1928), *The Earth Gods* (Knopf, 1931), *The Wanderer* (Knopf, 1932), *The Garden of the Prophet* (Knopf, 1933), *Prose Poems* (Knopf, 1934), *The Procession* (Kheirallah, 1947), *Tears and laughter* (Philosophical Library, 1947), *Spirits Rebellious* (Philosophical Library, 1947), *Secrets of the Heart* (Philosophical Library, 1947), *Nymphs of the Valley* (Knopf, 1948), *A Tear and a Smile* (Knopf, 1950).

Ma Gibran stimò sempre *Il Profeta* la sua massima realizzazione: « Credo di non essere mai stato senza sentire il Profeta dentro di me, diceva, fin dal primo momento in cui ho concepito il libro laggiù sul Monte Libano. Mi sembra che esso sia stato una parte di me stesso ». Quando l'opera uscì, i giornali parlarono di « ritmo maestoso dell'Ecclesiaste », di « tacita accettazione di una grande filosofia umana », di « possente riserva di vita spirituale », etc. Nella « Kahlil Gibran: a biography »

* Era il suo nome vero, composto con quello del padre secondo la tradizione araba dell'est, e con il quale firmò le opere scritte nella lingua madre, ridotto in seguito nelle opere scritte in inglese.

(New York, 1950), del suo migliore amico e biografo Mikhail Naimy, leggiamo: « Nell'attimo in cui Gibran giunse a vedere il mondo come un'unità perfetta e la vita come un'armonia eterna, tutti gli altri mondi in cui egli era vissuto in precedenza e che aveva considerato spaziosi e reali gli divennero esigui e irreali. Egli guardò questi mondi come un uccello, uscito dal guscio, guarda il proprio uovo. Dovunque vagasse, la sua immaginazione gli rendeva il segno delle creature unite dal mistico legame dell'amore, troppo infinito per contenersi entro limiti. Egli benediceva la vita prima maledetta, gridando – Com'è generosa, e come sono preziosi tutti i suoi doni! Avessi io mille mani protese verso il cielo e la terra, invece di questa umile mano chiusa su un pugno di rena, mille occhi per vedere tutte le supreme bellezze della vita, mille orecchie per udire tutte le sue incantevoli musiche. – E così, in parole e in linee, egli cominciò a pensare in quella dimensione e a trasmetterci il fascino dei suoi nuovi mondi ».

La « dimensione » fu un vero e proprio stampo che Gibran cercò accuratamente e nel quale avrebbe gettato e modellato le sue impressioni sulle « bellezze del mondo » scoperte. Per questo cliché espressivo scelse un interprete, un portavoce illuminato che ispirasse riverenza, un profeta di nome Almustafà. Il poeta temendo di non essere ascoltato si era fatto profeta. Ora si trattava di coprire con il manto della dignità psicologica e veggente il suo personaggio, e ce lo presentò come uno straniero in una città chiamata Orfalese, dove dimorò dodici anni in attesa della sua nave che doveva riportarlo nell'« isola nativa ». Il Gibran-profeta schiude innanzi a noi-Orfalese il proprio cuore, mettendo a nudo le contrastanti emozioni della sua gioia e del suo dolore; la gioia di un esiliato in libertà che rivolge il suo sguardo verso la casa, il dolore davanti alla prospettiva di separarsi dai suoi compagni di esilio finalmente conosciuti e amati. Almustafà ritorna in città dove la gente, avendo intuito il suo prossimo abbandono e lasciate le occupazioni, gli fa ressa intorno e lo supplica di rimanere. Il profeta affronta le loro preghiere con ostinato silenzio e con lagrime; infine si avvia verso la grande piazza, dinnanzi al tempio, e qui risponde alle richieste del suo popolo. Gibran pronuncia ventisei sermoni sui varii aspetti della vita terrena e quindi salpa verso una patria differente, alla quale tutti ritorneremo.

Lo stampo scelto per riversare la quintessenza delle sue contemplazioni sugli uomini e sulla vita si adattò perfettamente alla sostanza, mentre la sua fattura si piegò, com'era naturale, all'educazione religiosa e letteraria dello scrittore (era un cristiano-maronita e amava il romanticismo tedesco) a certi stili e forme dei grandi esponenti della poesia occidentale di allora. Le sue parentele strutturali con Nietzsche sono evidenti. Il libanese fa parlare Almustafà, il tedesco Zarathustra; Zarathustra passa straniero tra gli uomini donando loro di quando in quando la sua saggezza, finché stanco del suo esilio si ritira nella sua « isola felice », e così Almustafà nella sua « isola nativa ». Nella prima parte del libro Zarathustra così saluta i suoi discepoli: – Ora io vi ordino di perdere me e di ritrovare voi stessi, e solo quando tutti mi avrete rinnegato, io tornerò a voi. – E Almustafà: – Soltanto se la mia voce appassirà nelle vostre orecchie, e il mio amore svanirà nella vostra memoria, io ritornerò. – Zarathustra, nella terza parte, scalata con ansia un'alta montagna, si rivolge al mare lontano: – Ah, questo cupo e triste mare, ai miei piedi! Oscuro tedio della notte! Ah, destino e mare, a voi io devo ridiscendere. – Così Almustafà dalla sua collina: – Oh, tu materno e insonne, vasto mare, ...io tornerò a te sconfinato, goccia infinita. – I due profeti non furono altri che Nietzsche e Gibran in forma diversa; due creazioni soggettive, velate di simboli e metamorfosi, dietro le quali gli autori hanno preferito nascondersi al lettore. M. Naimy dice: « Per chi conobbe K. Gibran come me, i veli appaiono molto sottili e trasparenti. I dodici anni che Almustafà trascorse in attesa della sua nave sono gli anni vissuti da Gibran in America, fino alla stesura del *Profeta.* La città di Orfalese è Nuova York. Almìtra, la sacerdotessa che « per prima lo cercò e credette in lui » è Mary Askell. « La sua isola nativa » è il Libano. La sua « promessa di fare ritorno al popolo di Orfalese » è la sua fede nella « reincarnazione ». L'antico principio mistico che abbraccia gran parte dell'Oriente, sebbene il poeta fosse stato cristiano, abbracciò anche lui: egli fu un vecchio arabo, non dimentichiamolo, convinto che colui che abbandona la terra con le proprie colpe, è costretto a rinascere finché non riuscirà a infrangere l'ultimo legame con la terra stessa. In una luce più chiara, tuttavia, possiamo assumere Orfalese a simbolo del mondo e l'esilio di Almustafà a distacco dello spirito individuale dall'Assoluto, durante il suo pellegrinaggio terreno. « L'isola nativa » diverrebbe così il cuore dell'Assoluto o il centro della Vita universale.

Sebbene *Il Profeta* e *Così parlò Zarathustra* siano tanto affini nella forma, nel contenuto essi sono fondamentalmente distanti. Zarathustra è un superuomo, Almustafà è uno Spirito che indica le sorgenti nelle quali chi ha sete può dissetarsi. Le loro filosofie sono opposte. Gibran entrò nel giardino dei grandi mistici dell'Asia, delle Sacre Scritture e di certe discipline indiane, ma lo attraversò con la sua immaginazione libera, con il suo ritmo personale, con la sua linea chiara e semplice. Il fatto di non avere scritto il capolavoro nella sua lingua d'origine, e di avere comunque raggiunto l'apice del suo stile, fa supporre che il suo pensiero fosse già nato qui direttamente espresso. Idea e parola risultano in questa opera a tal punto unitari che spesso le metafore possono sembrarci enigmatiche se non addirittura ambigue, come una roccia che non è stata scolpita e che pure ha valore di statua. Ma « non è forse ambiguo il mistero? » dice Goethe, e l'amore non è forse parte del mistero? Per Gibran questo amore pervade la vita come un'unica essenza che gli uomini posseggono in eguale misura, una sola verità che essi applicano diversamente. L'amore si rivela sempre a tutti, indiscriminato, egli pensava, ma taluni non lo possono vedere né udire, perché gli occhi e le orecchie della loro anima sono velati dalle illusioni dei sensi e dal rumore delle parole. Chi riesce a vedere e a udire tale essenza è incapace di amare un aspetto della vita odiandone l'altro, poiché l'ha accettata come un'unità indivisibile.

I discorsi di Almustafà furono quindi ricavati direttamente dal suo autore da vibrazioni naturali e spontanee, e in un certo senso non poterono che modellarsi alla Bibbia, un testo impersonale e vivente, al punto da imitarne l'andamento: « Vi è stato detto », « Ma io vi dico », « In verità vi dico », etc. Tuttavia vedremo come la meta alla quale Gibran ci trascina trasformi via via i prestiti stilistici.

Continua, Mikhail Naimy, nella sua biografia: « Gibran aveva disegnato dodici illustrazioni per *Il Profeta*, dieci acquarelli e due in bianco e nero; questi ultimi rappresentavano il volto di Almustafà per l'inizio del libro e « la mano creatrice » per la fine. Il volto di Almustafà è forse il più amabile e il più impressionante dei suoi disegni, con il "Gesù" fatto dieci anni dopo; gli occhi sognanti vedono oltre il presente, l'espressione dolorosa e penetrante tradisce un cuore tenero e comprensivo, la bocca è appassionata, quasi sensuale nella delicata amarezza del distacco, il ritratto del profeta è soffuso di tristezza, ma anche di luce, lo si può dire un'auto-interpretazione interiore. La "mano creatrice" distesa, potente, sensibile, con un occhio nel mezzo, alato, e intorno un abisso caotico di ombre, ricorda la mano di Dio di Rodin; essa vede toccando e immagina vedendo, è una mano che estrae forme dal caos per magia. L'idea della creazione è comune allo scultore francese, ma non lo è la sua concezione.

I rimanenti disegni del libro sono interpretativi del testo, ma alcuni propongono pensieri ancora inespressi in parole.

Così il pittore venne in aiuto al poeta, e i simboli della sua tensione mistica, troppo astratti per farsi moralmente esemplari, trovarono nella linea quella urgente comunicazione che forse un suono non avrebbe saputo formulare.

Quando due mesi prima di consegnare *Il Profeta* all'editore, Gibran venne da me e da Mary Askell, che fu la curatrice di tutti i suoi libri, – dice Naimy – e ci domandò alcuni suggerimenti, non fu facile per me capire se il mio amico avesse voluto, nella sua opera, rivelare i desideri più profondi all'emancipazione finale del suo spirito, oppure avesse concepito la figura messianica in virtù di una personale emancipazione ormai raggiunta. In questo caso egli fu profeta in pensiero e in atto. Ma io dubito che Gibran, che chiamò se stesso "un falso allarme", intendesse apparirci dinnanzi in vesti profetiche. Eppure alcuni lo accolsero come tale e scrissero sulla sua tomba in arabo: "Qui giace il nostro profeta Gibran" ».

Il Profeta

Almustafa, the chosen and the beloved, who was a dawn unto his own day, had waited twelve years in the city of Orphalese for his ship that was to return and bear him back to the isle of his birth.

And in the twelfth year, on the seventh day of Ielool, the month of reaping, he climbed the hill without the city walls and looked seaward; and he beheld his ship coming with the mist.

Then the gates of his heart were flung open, and his joy flew far over the sea. And he closed his eyes and prayed in the silences of his soul.

But as he descended the hill, a sadness came upon him, and he thought in his heart:

How shall I go in peace and without sorrow? Nay, not without a wound in the spirit shall I leave this city.

Long were the days of pain I have spent within its walls, and long were the nights of aloneness; and who can depart from his pain and his aloneness without regret?

Too many fragments of the spirit have I scattered in these streets, and too many are the children of my longing that walk naked among these hills, and I cannot withdraw from them without a burden and an ache.

It is not a garment I cast off this day, but a skin that I tear with my own hands.

Nor is it a thought I leave behind me, but a heart made sweet with hunger and with thirst.

Yet I cannot tarry longer.

The sea that calls all things unto her calls me, and I must embark.

Almustafà, l'eletto e l'amato, come un'alba nel suo giorno, aveva atteso dodici anni nella città di Orfalese la sua nave per ritornare all'isola nativa.

E nel dodicesimo anno, il giorno settimo di Jelòol, mese delle messi, salì sulla collina oltre le mura della città e guardò verso il mare; e vide la sua nave risalire nella nebbia.

Allora gli si aprirono le porte del cuore e la sua gioia volò lontano sopra il mare. Chiuse gli occhi e pregò nei silenzi dell'anima.

Ma discendendo la collina, una grande tristezza cadde su di lui e pensò nel suo cuore:

Come andarsene in pace e senza pena? Ahimè, non lascerò questa città senza piaga nell'anima.

Lunghi furono i giorni sofferti tra le sue mura, lunghe le solitarie notti; e chi senza rimpianto potrà lasciare la sua pena e la sua solitudine?

Troppi brani dello spirito ho seminato in queste vie, troppi fanciulli del mio affanno se ne vanno nudi agli altipiani, e io non posso abbandonarli senza peso e dolore.

Io non rifiuto un ornamento, ma strappo una pelle con le mie stesse mani.

Io non lascio dietro di me un pensiero, ma un cuore dolce di fame e di sete.

Eppure più a lungo io non potrò tardare.

Il mare che vuole ogni cosa, mi chiama, e devo imbarcarmi.

For to stay, though the hours burn in the night, is to freeze and crystallize and be bound in a mould.

Fain would I take with me all that is here. But how shall I?

A voice cannot carry the tongue and the lips that gave it wings. Alone must it seek the ether.

And alone and without his nest shall the eagle fly across the sun.

Now when he reached the foot of the hill, he turned again towards the sea, and he saw his ship approaching the harbour, and upon her prow the mariners, the men of his own land.

And his soul cried out to them, and he said:

Sons of my ancient mother, you riders of the tides,

How often have you sailed in my dreams. And now you come in my awakening, which is my deeper dream.

Ready am I to go, and my eagerness with sails full set awaits the wind.

Only another breath will I breathe in this still air, only another loving look cast backward,

And then I shall stand among you, a seafarer among seafarers.

And you, vast sea, sleepless mother,

Who alone are peace and freedom to the river and the stream,

Only another winding will this stream make, only another murmur in this glade,

And then shall I come to you, a boundless drop to a boundless ocean.

And as he walked he saw from afar men and women leaving their fields and their vineyards and hastening towards the city gates.

And he heard their voices calling his name, and shouting from field to field telling one another of the coming of his ship.

Poi che se resto, sebbene brucino le ore della notte, io sarò ghiaccio e fossile, e costretto in una forma.
Con me vorrei portare ogni cosa. Ma come potrò farlo?
Non può una voce trascinare con sé la lingua e il labbro che le diedero le ali. Da sola dovrà varcare il cielo.
E sola e senza nido volerà l'aquila nel sole.

Così, quando raggiunse i piedi del colle, si volse ancora verso il mare, e vide la sua nave avvicinarsi al porto e sulla prua i marinai, gli uomini della sua terra.

E la sua anima disse loro a gran voce:
Figli della mia antica madre, cavalieri dell'onde,
Quanto a lungo veleggiaste nei miei sogni. Ora approdate al mio risveglio che è il mio sogno più profondo.
Sono pronto a salpare, e il mio desiderio in attesa è la vela spiegata sotto il vento.
Ancora una volta respirerò quest'aria calma, e indietro mi volgerò con tanto amore,
E allora sarò tra voi, navigante in mezzo ai naviganti.
E tu materno e insonne, o vasto mare,
Unica pace e libertà alla corrente e al fiume,
In questa piana la corrente avrà soltanto un'altra svolta e un altro mormorio,
E allora io verrò a te, goccia infinita in sconfinato mare.

E camminando vide di lontano uomini e donne abbandonare i loro campi e le loro vigne e affrettarsi alle porte della città.
E udì le loro voci che lo chiamavano per nome e gridavano di campo in campo, raccontandosi l'una all'altra l'arrivo della sua nave.

And he said to himself:
Shall the day of parting be the day of gathering?
And shall it be said that my eve was in truth my dawn?
And what shall I give unto him who has left his plough in midfurrow, or to him who has stopped the wheel of his winepress?
Shall my heart become a tree heavy-laden with fruit that I may gather and give unto them?
And shall my desires flow like a fountain that I may fill their cups?
Am I a harp that the hand of the mighty may touch me, or a flute that his breath may pass through me?
A seeker of silences am I, and what treasure have I found in silences that I may dispense with confidence?
If this is my day of harvest, in what fields have I sowed the seed, and in what unremembered seasons?
If this indeed be the hour in which I lift up my lantern, it is not my flame that shall burn therein.
Empty and dark shall I raise my lantern,
And the guardian of the night shall fill it with oil and he shall light it also.

These things he said in words. But much in his heart remained unsaid. For he himself could not speak his deeper secret.

And when he entered into the city all the people came to meet him, and they were crying out to him as with one voice.
And the elders of the city stood forth and said:
Go not yet away from us.
A noontide have you been in our twilight, and your youth has given us dreams to dream.
No stranger are you among us, nor a guest, but our son and our dearly beloved.
Suffer not yet our eyes to hunger for your face.

And the priests and the priestesses said unto him:
Let not the waves of the sea separate us now, and the years you have spent in our midst become a memory.

Ed egli si disse:
Il giorno dell'addio sarà forse il giorno di convegno?
E la mia vigilia, invero, sarà detta la mia aurora?
Che cosa darò a chi ha lasciato il suo aratro a metà solco o ha fermato la ruota del suo torchio?
Sarà il mio cuore l'albero pesante di frutti che coglierò per loro?
E perché ne abbiano piene le coppe, fluiranno come fonte le mie brame?
Forse che io sono come un'arpa sfiorata dalla mano del potente, o un flauto che il suo fiato riempie?
Io sono un cacciatore di silenzi, e quali tesori scoperti nei silenzi, fiducioso, potrò donare?
Se questo è il mio giorno di raccolta, in quali campi ho sparso il seme e in quali stagioni obliate?
Se in verità è questa l'ora in cui sollevo alta la lanterna, non è mia la fiamma che qui brucerà.
Oscura e vuota alzerò la mia lanterna, e riempitala d'olio l'accenderà il guardiano della notte.

Così parlò. Ma restò muta gran parte del suo cuore. Poiché egli stesso non poteva esprimere il suo segreto più profondo.

E quando entrò nella città, tutto il popolo gli venne incontro e gridò forte a lui con una sola voce.
E come gli anziani si erano fatti avanti, dissero:
Non abbandonarci ancora.
Fosti un meriggio nel nostro crepuscolo e la tua giovinezza ci donò fiabe da sognare.
Qui non sei ospite o straniero, ma il nostro figlio e il nostro prediletto.
Non lasciare che il tuo volto ci affami gli occhi.

E i sacerdoti e le sacerdotesse gli dissero:
Non ora ci separino le onde del mare e domani non siano memorie gli anni che hai trascorso in mezzo a noi.

You have walked among us a spirit, and your shadow has been a light upon our faces.

Much have we loved you. But speechless was our love, and with veils has it been veiled.

Yet now it cries aloud unto you, and would stand revealed before you.

And ever has it been that love knows not its own depth until the hour of separation.

And others came also and entreated him. But he answered them not. He only bent his head; and those who stood near saw his tears falling upon his breast.

And he and the people proceeded towards the great square before the temple.

And there came out of the sanctuary a woman whose name was Almitra. And she was a seeress.

And he looked upon her with exceeding tenderness, for it was she who had first sought and believed in him when he had been but a day in their city.

And she hailed him, saying:

Prophet of God, in quest of the uttermost, long have you searched the distances for your ship.

And now your ship has come, and you must needs go.

Deep in your longing for the land of your memories and the dwelling-place of your greater desires; and our love would not bind you nor our needs hold you.

Yet this we ask ere you leave us, that you speak to us and give us of your truth.

And we will give it unto our children, and they unto their children, and it shall not perish.

In your aloneness you have watched with our days, and in your wakefulness you have listened to the weeping and the laughter of our sleep.

Now therefore disclose us to ourselves, and tell us all that has been shown you of that which is between birth and death.

And he answered:

People of Orphalese, of what can I speak save of that which is even moving within your souls?

Come spirito camminasti fra noi, e la tua ombra ha illuminato i nostri volti.

Tanto ti amammo. Ma fu senza parole, velato, il nostro amore.

Eppure oggi esso grida, e a te vorrebbe rivelarsi.

Poi che l'amore in ogni tempo ignora la sua profondità sino all'ora del distacco.

E vennero altri a supplicarlo. Ma egli non rispose.

Chinò soltanto il capo, e chi gli stava intorno vide le lagrime piovergli sul petto.

E sulla grande piazza avanzò con il popolo, davanti al tempio.

E dal santuario uscì una donna, chiamata Almìtra. Ed era una indovina.

Ed egli la fissò con generosa tenerezza, poiché l'aveva subito cercato, e aveva in lui creduto dal primo giorno del suo arrivo.

Ed ella lo salutò dicendo:

Prescelto da Dio che cerchi la verità, così a lungo hai spiato l'orizzonte per vedere la tua nave.

E ora la tua nave è in porto, e tu partirai.

Hai nostalgia profonda per la tua terra di memorie, per la dimora delle tue grandi ansie; e il nostro amore non ti sarà di ormeggio.

Ma prima di lasciarci, noi ti preghiamo: parla e insegnaci la tua verità.

Noi la daremo ai nostri figli, e questi ai loro figli, e non perirà.

Nei nostri giorni vegliasti solitario, e attento udisti il pianto e il riso del nostro sonno.

Per questo rivelaci a noi stessi, ora, e rivelaci ciò che tu sai tra la vita e la morte.

Ed egli rispose:

Popolo d'Orfalese, di che cosa posso parlare se non di quello che oggi vi fermenta in cuore?

Then said Almitra, Speak to us of Love.

And he raised his head and looked upon the people, and there fell a stillness upon them. And with a great voice he said:

When love beckons to you, follow him,

Though his ways are hard and steep.

And when his wings enfold you yield to him,

Though the sword hidden among his pinions may wound you.

And when he speaks to you believe in him,

Though his voice may shatter your dreams as the north wind lays waste the garden.

For even as love crowns you so shall he crucify you. Even as he is for your growth so is he for your pruning.

Even as he ascends to your height and caresses your tenderest branches that quiver in the sun,

So shall he descend to your roots and shake them in their clinging to the earth.

Like sheaves of corn he gathers you unto himself.

He threshes you to make you naked.

He sifts you to free you from your husks.

He grinds you to whiteness.

He kneads you until you are pliant;

And then he assigns you to his sacred fire, that you may become sacred bread for God's sacred feast.

All these things shall love do unto you that you may know the secrets of your heart, and in that knowledge become a fragment of Life's heart.

Allora Almìtra domandò: parlaci dell'Amore.
Ed egli alzò la testa e scrutò il popolo, e su di loro cadde una vasta pace. E con gran voce disse:
Quando l'amore vi chiama, seguitelo,
Anche se ha vie ripide e dure.
E quando dalle ali ne sarete avvolti, abbandonatevi a lui,
Anche se, chiusa tra le penne, la lama vi potrà ferire.
E quando vi parla, credete in lui,
Anche se la sua voce può disperdervi i sogni come il vento del nord devasta il giardino.

Poi che, come l'amore v'incorona, così vi crocefigge, e come vi matura, così vi poterà.
Come sale sulla vostra cima e accarezza i rami che fremono più teneri nel sole,
Così discenderà alle vostre radici, e laggiù le scuoterà dove più forti aderiscono alla terra.
Vi accoglie in sé, covoni di grano.
Vi batte finché non sarete spogli.
Vi staccia per liberarvi dalle reste.
Vi macina per farvi neve.
Vi plasma finché non siate cedevoli alle mani.
E vi consegna al suo sacro fuoco, perché voi siate il pane sacro della mensa di Dio.

In voi tutto ciò compie l'amore, affinché conosciate il segreto del vostro cuore, e possiate farvi frammenti del cuore della vita.

But if in your fear you would seek only love's peace and love's pleasure,
Then it is better for you that you cover your nakedness and pass out of love's threshing-floor,
Into the seasonless world where you shall laugh, but not all of your laughter, and weep, but not all of your tears.

Love gives naught but itself and takes naught but from itself.
Love possesses not nor would it be possessed;
For love is sufficient unto love.

When you love you should not say, « God is in my heart », but rather, « I am in the heart of God ».
And think not you can direct the course of love, for love, if it finds you worthy, directs your course.

Love has no other desire but to fulfil itself.
But if you love and must needs have desires, let these be your desires:
To melt and be like a running brook that sings its melody to the night.
To know the pain of too much tenderness.
To be wounded by your own understanding of love;
And to bleed willingly and joyfully.
To wake at dawn with a winged heart and give thanks for another day of loving;
To rest at the noon hour and meditate love's ecstasy;
To return home at eventide with gratitude;
And then to sleep with a prayer for the beloved in your heart and a song of praise upon your lips.

Ma se la vostra paura non cercherà nell'amore che la pace e il piacere,
Allora meglio sarà per voi coprire le vostre nudità e passare oltre l'aia dell'amore,
Nel mondo orfano di climi, dove riderete, ahimè, non tutto il vostro riso, e piangerete non tutto il vostro pianto.

L'amore non dà nulla fuorché se stesso, e non coglie nulla se non da se stesso.
L'amore non possiede, né vorrebbe essere posseduto;
Poi che l'amore basta all'amore.

Quando amate non dovreste dire, « Hò Dio in cuore », ma piuttosto, « Io sono in cuore a Dio ».
E non crediate di condurre l'amore, giacché se vi scopre degni, esso vi conduce.

L'amore non vuole che consumarsi.
Ma se amate e bramarete senza scampo, siano questi i vostri desideri:
Sciogliersi, e imitare l'acqua corrente che canta il suo motivo alla notte.
Conoscere la pena di troppa tenerezza.
Piagarsi in comprensione d'amore;
E sanguinare di voluta gioia.
Destarsi all'alba con un cuore alato e ringraziare un nuovo giorno d'amore;
Riposare nell'ora del meriggio e meditare l'estasiato amore;
Grati, rincasare al vespro;
E addormentarsi pregando per l'amato in cuore, con un canto di lode sulle labbra.

Then Almitra spoke again and said, And what of Marriage, master?

And he answered saying:

You were born together, and together you shall be for evermore.

You shall be together when the white wings of death scatter your days.

Aye, you shall be together even in the silent memory of God.

But let there be spaces in your togetherness,

And let the winds of the heavens dance between you.

Love one another, but make not a bond of love:

Let it rather be a moving sea between the shores of your souls.

Fill each other's cup but drink not from one cup.

Give one another of your bread but eat not from the same loaf.

Sing and dance together and be joyous, but let each one of you be alone,

Even as the strings of a lute are alone though they quiver with the same music.

Give your hearts, but not into each other's keeping.

For only the hand of Life can contain your hearts.

And stand together yet not too near together:

For the pillars of the temple stand apart,

And the oak tree and the cypress grow not in each other's shadow.

Allora nuovamente parlò Almìtra, e domandò: Che cos'è il Matrimonio, o Maestro?
Ed egli rispose, dicendo:
Voi siete nati insieme e insieme starete per sempre.
Insieme, quando le bianche ali della morte disperderanno i vostri giorni.
Insieme nella silenziosa memoria di Dio.
Vi sia spazio nella vostra unità,
E tra voi danzino i venti dei cieli.

Amatevi l'un con l'altra, ma non fatene una prigione d'amore:
Piuttosto vi sia tra le rive delle vostre anime un moto di mare.
Riempitevi a vicenda le coppe, ma non bevete da una coppa sola.
Datevi cibo a vicenda, ma non mangiate dello stesso pane.
Cantate e danzate insieme e siate giocondi, ma ognuno di voi sia solo,
Come sole sono le corde del liuto, sebbene vibrino di una musica uguale.

Datevi il cuore, ma l'uno non sia rifugio all'altro.
Poi che soltanto la mano della Vita può contenere i vostri cuori.
Ergetevi insieme, ma non troppo vicini:
Poi che il tempio ha colonne distanti,
E la quercia e il cipresso non crescono l'una all'ombra dell'altro.

And a woman who held a babe against her bosom said, Speak to us of Children.

And he said:

Your children are not your children.

They are the sons and daughters of Life's longing for itself.

They come through you but not from you,

And though they are with you yet they belong not to you.

You may give them your love but not your thoughts,

For the have their own thoughts.

You may house their bodies but not their souls,

For their souls dwell in the house of to-morrow, which you cannot visit, not even in your dreams.

You may strive to be like them, but seek not to make them like you.

For life goes not backward nor tarries with yesterday.

You are the bows from which your children as living arrows are sent forth.

The Archer sees the mark upon the path of the infinite, and He bends you with His might that His arrows may go swift and far.

Let your bending in the Archer's hand be for gladness;

For even as he loves the arrows that flies, so He loves also the bow that is stable.

E una donna che reggeva un bambino al seno domandò: Parlaci dei Figli.

Ed egli disse:

I vostri figli non sono i vostri figli.

Sono i figli e le figlie della fame che in se stessa ha la vita.

Essi non vengono da voi, ma attraverso di voi,

E non vi appartengono benché viviate insieme.

Potete amarli, ma non costringerli ai vostri pensieri,

Poi che essi hanno i loro pensieri.

Potete custodire i loro corpi, ma non le anime loro,

Poi che abitano case future, che neppure in sogno potrete visitare.

Cercherete d'imitarli, ma non potrete farli simili a voi,

Poi che la vita procede e non s'attarda su ieri.

Voi siete gli archi da cui i figli, le vostre frecce vive, sono scoccati lontano.

L'Arciere vede il bersaglio sul sentiero infinito, e con la forza vi tende, affinché le sue frecce vadano rapide e lontane.

In gioia siate tesi nelle mani dell'Arciere;

Poi che, come ama il volo della freccia, così l'immobilità dell'arco.

Then said a rich man, Speak to us of Giving.

And he answered:

You give but little when you give of your possessions.

It is when you give of yourself that you truly give.

For what are your possessions but things you keep and guard for fear you may need them to-morrow?

And to-morrow, what shall to-morrow bring to the over-prudent dog burying bones in the trackless sand as he follows the pilgrims to the holy city?

And what is fear of need but need itself?

Is not dread of thirst when your well is full, the thirst that is unquenchable?

There are those who give little of the much which they have – and they give it for recognition and their hidden desire makes their gifts unwholesome.

And there are those who have little and give it all.

These are the believers in life and the bounty of life, and their coffer is never empty.

There are those who give with joy, and that joy is their reward.

And there are those who give with pain, and that pain is their baptism.

And there are those who give and know not pain in giving, nor do they seek joy, nor give with mindfulness of virtue;

They give as in yonder valley the myrtle breathes its fragrance into space.

Through the hands of such as these God speaks, and from behind their eyes He smiles upon the earth.

Allora un uomo ricco domandò: Parlaci dei Doni.
Ed egli rispose:
Dai poco se dai le tue ricchezze.
Ma se doni te stesso tu dai veramente.
Infatti che cos'è la tua ricchezza se non ciò che curi e nascondi con il timore di dovertene servire domani?
E domani, che cosa porterà il domani al cane troppo prudente che seppellisce l'osso nella sabbia senza traccia, mentre segue alla città santa i pellegrini?
E che cos'è la paura del bisogno, se non il bisogno stesso?
Il terrore della sete quando il pozzo è colmo, non è forse insaziabile sete?
Vi sono quelli che danno poco di molto, e per essere ricambiati, e la prudenza nascosta avvelena il loro dono.
E vi sono quelli che hanno poco e lo danno tutto.
Essi credono alla vita e alla sua munificenza e il loro forziere non è mai vuoto.
Vi sono quelli che danno con gioia e la gioia è la loro ricompensa.
E quelli che danno con rimpianto e il rimpianto li battezza.
Vi sono quelli che danno senza pena e senza gioia, e senza premura di virtù;
Essi sono come il mirto che sparge nell'aria, laggiù nella valle, il suo incenso.
Nelle loro mani Dio parla e dietro i loro occhi egli sorride alla terra.

It is well to give when asked, but it is better to give unasked, through understanding;

And to the open-handed the search for one who shall receive is joy greater than giving.

And is there aught you would withhold?

All you have shall some day be given;

Therefore give now, that the season of giving may be yours and not your inheritors'.

You often say, « I would give, but only to the deserving ».

The trees in your orchard say not so, nor the flocks in your pasture.

They give that they may live, for to withhold is to perish.

Surely he who is worthy to receive his days and his nights is worthy of all else from you.

And he who has deserved to drink from the ocean of life deserves to fill his cup from your little stream.

And what desert greater shall there be, than that which lies in the courage and the confidence, nay the charity, of receiving?

And who are you that men should rend their bosom and unveil their pride, that you may see their worth naked and their pride unabashed?

See first that you yourself deserve to be a giver, and an instrument of giving.

For in truth it is life that gives unto life – while you, who deem yourself a giver, are but a witness.

And you receivers – and you are all receivers – assume no weight of gratitude, lest you lay a yoke upon yourself and upon him who gives.

Rather rise together with the giver on his gifts as on wings;

For to be overmindful of your debt, is to doubt his generosity who has the free-hearted earth for mother, and God for father.

È bene dare se ci chiedono, ma, quand'è possibile, è meglio dare senza che chiedano.
E per chi è generoso, cercare il povero è una gioia più grande che donare.
Che cosa vorresti mai trattenere?
Tutto quanto possiedi sarà dato un giorno;
Per questo dà oggi, affinché la stagione dei doni sia tua e non dei tuoi eredi.

Dici sovente, « Vorrei dare, ma ai meritevoli soltanto ».
Tu non sei imitato dalle piante del tuo orto, né dalle greggi del tuo pascolo.
Esse danno per vivere, poi che tenere è perire.
Certo chi è degno di ricevere e i giorni e le notti, da te può essere degno di ogni cosa.
E chi merita di bere al mare della vita, può riempire la coppa alla tua breve corrente.
E quale merito è più grande del coraggio, della fiducia, di più, della pietà di ricevere?
Ma chi sei, perché gli uomini ti mostrino il cuore, umiliandosi, e tu scopra in loro il nudo pensiero e l'improfanabile fierezza?
Prima tu stesso sii degno di dare come un benefico strumento.
Giacché invero la vita dà alla vita, mentre tu, che ti stimi un donatore, non sei che un testimone.

E voi che ricevete – e tutti ricevete – non lasciate che la gratitudine vi opprima, per non creare un giogo in voi e in chi vi ha dato.
Piuttosto i suoi doni siano le ali su cui volerete insieme.
Poi che se il vostro debito troppo vi pesa, voi dubitate della sua generosità che ha come madre la terra feconda e come padre Dio.

Then an old man, a keeper of an inn, said, Speak to us of Eating and Drinking.
And he said:
Would that you could live on the fragrance of the earth, and like an air plant be sustained by the light.
But since you must kill to eat, and rob the newly born of its mother's milk to quench your thirst, let it then be an act of worship,
And let your board stand an altar on which the pure and the innocent of forest and plain are sacrificed for that which is purer and still more innocent in man.

When you kill a beast say to him in your heart,
« By the same power that slays you, I too am slain; and I too shall be consumed.
For the law that delivered you into my hand shall deliver me into a mightier hand.
Your blood and my blood is naught but the sap that feeds the tree of heaven ».

And when you crush an apple with your teeth, say to it in your heart,
« Your seeds shall live in my body,
And the buds of your to-morrow shall blossom in my heart,
And your fragrance shall be my breath,
And together we shall rejoice through all the seasons ».

And in the autumn, when you gather the grapes of your vineyards for the winepress, say in your heart:
« I too am a vineyard, and my fruit shall be gathered for the winepress,

Allora un vecchio oste domandò: Parlaci del Mangiare e del Bere.

Ed egli disse:

Vorrei che poteste vivere del profumo della terra e che la luce vi nutrisse in libertà come una pianta.

Ma siccome mangerete uccidendo, e ruberete al piccolo il suo latte materno per estinguere la sete, sia allora, il vostro, un atto di adorazione.

E la mensa sia un altare, sul quale i puri e gli innocenti dei campi e delle foreste s'immolino alla parte più pura e più innocente che vi è nell'uomo.

Quando ucciderete un animale, ditegli in cuore:

« Dal medesimo potere che ti abbatte, io pure sarò ucciso e consunto, poi che la legge che ti consegnò nelle mie mani, consegnerà me in mani più potenti.

Il tuo sangue e il mio non sono che la linfa che nutre l'albero del cielo ».

E quando mangerete una mela, ditele in cuore:

« I tuoi semi vivranno nel mio corpo,
E i tuoi germogli futuri fioriranno nel mio cuore,
E il mio respiro sarà la tua fragranza,
E noi godremo insieme in tutte le stagioni ».

Quando d'autunno coglierete dalle vigne l'uva per il torchio, dite nel cuore:

« Io pure sarò vigna, e per il torchio sarà colto il mio frutto,

And like new wine I shall be kept in eternal vessels ».

And in winter, when you draw the wine, let there be in your heart a song for each cup;

And let there be in the song a remembrance for the autumn days, and for the vineyard, and for the winepress.

E come vino nuovo sarò tenuto in botti eterne ».

Quando d'inverno spillerete il vino, per ogni coppa cantate una canzone;

E in questa ricordatevi dei giorni dell'autunno, della vigna e del torchio.

Then a ploughman said, Speak to us of Work.

And he answered, saying:

You work that you may keep pace with the earth and the soul of the earth.

For to be idle is to become a stranger unto the seasons, and to step out of life's procession that marches in majesty and proud submission towards the infinite.

When you work you are a flute through whose heart the whispering of the hours turns to music.

Which of you would be a reed, dumb and silent, when all else sings together in unison?

Always you have been told that work is a curse and labour a misfortune.

But I say to you that when you work you fulfil a part of earth's furthest dream, assigned to you when that dream was born,

And in keeping yourself with labour you are in truth loving life,

And to love life through labour is to be intimate with life's inmost secret.

But if you in your pain call birth an affliction and the support of the flesh a curse written upon your brow, then I answer that naught but the sweat of your brow shall wash away that which is written.

You have been told also that life is darkness, and in your weariness you echo what was said by the weary.

And I say that life is indeed darkness save when there is urge,

Allora un contadino domandò: Parlaci del Lavoro.
Ed egli rispose, dicendo:
Voi lavorate per seguire la terra e la sua anima.
Poi che oziare è allontanarsi dalle stagioni e dal corso della vita, che solenne e fiera e vinta procede all'infinito.

Quando lavorate siete un flauto che nel suo cuore volge in musica il murmure del tempo.
Fra voi chi mai vorrebbe essere una canna silenziosa e muta, quando le altre tutte insieme cantano?

Vi è stato sempre detto che il lavoro è maledetto e la fatica una sventura.
Ma io vi dico che mentre lavorate si compie la parte più remota del sogno della terra, che vi fu dato quando la terra nacque.
Così vivendo di fatica, voi amate in verità la vita,
E amando la fatica della vita, voi ne capite il segreto più profondo.

Ma se voi dite nella vostra pena che nascere è tormento e una maledizione scritta in fronte il peso della carne, allora vi rispondo: tranne il sudore nulla laverà ciò che vi è stato scritto in fronte.

Fu anche detto che la vita è oscurità, e la vostra debolezza ripete le parole dei deboli come un'eco.
E io vi dico invero che la vita è oscurità se non vi è slancio,

And all urge is blind save when there is knowledge,
And all knowledge is vain save when there is work,
And all work is empty save when there is love;
And when you work with love you bind yourself to yourself, and to one another, and to God.

And what is it to work with love?
It is to weave the cloth with threads drawn from your heart, even as if your beloved were to wear that cloth.
It is to build a house with affection, even as if your beloved were to dwell in that house.
It is to sow seeds with tenderness and reap the harvest with joy, even as if your beloved were to eat the fruit.
It is to charge all things you fashion with a breath of your own spirit,
And to know that all the blessed dead are standing about you and watching.

Often have I heard you say, as if speaking in sleep, « He who works in marble, and finds the shape of his own soul in the stone, is nobler than he who ploughs the soil.
And he who seizes the rainbow to lay it on a cloth in the likeness of man, is more than he who makes the sandals for our feet ».
But I say, not in sleep, but in the overwakefulness of noontide, that the wind speaks not more sweetly to the giant oaks than to the least of all the blades of grass;
And he alone is great who turns the voice of the wind into a song made sweeter by his own loving.

Work is love made visible.
And if you cannot work with love but only with distaste, it is better that you should leave your work and sit at the gate of the temple and take alms of those who work with joy.
For if you bake bread with indifference, you bake a bitter bread that feeds but half man's hunger.
And if you grudge the crushing of the grapes, your grudge distils a poison in the wine.
And if you sing though as angels, and love not the singing, you muffle man's ears to the voices of the day and the voices of the night.

E ogni slancio è cieco se privo di sapienza,
E ogni sapienza è vana senza agire,
E ogni azione è vuota senza amore,
E lavorare con amore è un vincolo con gli altri, con voi stessi e Dio.

Lavorare con amore?
È tessere un abito con i fili del cuore, come dovesse indossarlo il vostro amato.
È costruire una casa con affetto, come dovesse abitarla il vostro amato.
È spargere teneramente i semi e cogliere le messi in allegria, come dovesse mangiarne il frutto il vostro amato.
È sciogliere in tutto ciò che fate il vostro soffio spirituale.
È sapere che tutti i vostri morti vi stanno intorno vigili e beati.

Sovente vi ho udito parlare, come diceste in sonno:
« Chi scolpisce il marmo, forma la sua anima nel sasso, è più nobile di chi ara i campi.
E chi dipinge sulla tela rubati arcobaleni in un'effigie umana, è più di chi foggia sandali per i nostri piedi ».
Ma io vi dico, nel desto e pieno mezzogiorno e non nel sonno, che il vento parla dolcemente alle giganti querce come allo stelo più piccolo dell'erba.
È grande soltanto chi traveste la voce del vento in un canto ripetuto dalla dolcezza d'amore.

Il lavoro è amore rivelato.
Se non potete lavorare con amore, ma esso vi ripugna, lasciatelo, meglio è sedere alla porta del tempio per ricevere elemosine da chi lavora con gioia.
Poi che se fate il pane, indifferenti, questo pane sarà amaro e non potrà sfamare l'uomo.
E se premendo l'uva, in voi non c'è trasporto, nel vino la vostra ripugnanza distillerà veleno.
E pure se cantate come angeli, ma non amate il canto, renderete l'uomo sordo alle voci del giorno e della notte.

Then a woman said, Speak to us of Joy and Sorrow.

And he answered:

Your joy is your sorrow unmasked.

And the selfsame well from which your laughter rises was oftentimes filled with your tears.

And how else can it be?

The deeper that sorrow carves into your being, the more joy you can contain.

Is not the cup that holds your wine the very cup that was burned in the potter's oven?

And is not the lute that soothes your spirit the very wood that was hollowed with knives?

When you are joyous, look deep into your heart and you shall find it is only that which has given you sorrow that is giving you joy.

When you are sorrowful look again in your heart, and you shall see that in truth you are weeping for that which has been your delight.

Some of you say, « Joy is greater than sorrow », and others say, « Nay, sorrow is the greater ».

But I say unto you, they are inseparable.

Together they come, and when one sits alone with you at your board, remember that the other is asleep upon your bed.

Verily you are suspended like scales between your sorrow and your joy.

Only when you are empty are you at standstill and balanced.

When the treasure-keeper lifts you to weigh his gold and his silver, needs must your joy or your sorrow rise or fall.

Allora una donna domandò: Parlaci della Gioia e del Dolore.
Ed egli rispose:
La vostra gioia è il vostro dolore senza maschera.
E il pozzo da cui scaturisce il vostro riso, sovente fu colmo di lagrime.
Come può essere altrimenti?
Quanto più in fondo vi scava il dolore, tanta più gioia voi potrete contenere.
La coppa che contiene il vostro vino non è la stessa bruciata al forno del vasaio?
E non è forse il liuto che accarezza il vostro spirito, il legno svuotato dal coltello?
Quando siete contenti, guardate in fondo al cuore e saprete che ieri avete sofferto per quello che oggi vi rende felici.
E quando siete tristi, guardatevi in cuore e v'accorgerete di piangere per quello che ieri fu il vostro diletto.

Tra voi, alcuni dicono: « La gioia è più grande del dolore », e dicono altri, « Il dolore è più grande ».
Ma io vi dico che sono inseparabili.
Essi giungono insieme, e se l'una vi siede accanto alla mensa, ricordatevi che l'altro sul vostro letto dorme.

In verità siete bilance che oscillano tra la gioia e il dolore.
Soltanto quando siete vuoti, voi siete equilibrati e fermi.
Se per pesare l'oro e l'argento vi solleva il tesoriere, gioia e dolore dovranno a turno alzarsi o ricadere.

Then a mason came forth and said, Speak to us of Houses.

And he answered and said:

Build of your imaginings a bower in the wilderness ere you build a house within the city walls.

For even as you have home-comings in your twilight, so has the wanderer in you, the ever-distant and alone.

Your house is your larger body.

It grows in the sun and sleeps in the stillness of the night; and it is not dreamless. Does not your house dream? and dreaming, leave the city for grove or hilltop?

Would that I could gather your houses into my hand, and like a sower scatter them in forest and meadow.

Would the valleys were your streets, and the green paths your alleys, that you might seek one another through vineyards, and come with the fragrance of the earth in your garments.

But these things are not yet to be.

In their fear your forefathers gathered you too near together. And that fear shall endure a little longer. A little longer shall your city walls separate your hearths from your fields.

And tell me, people of Orphalese, what have you in these houses? And what is it you guard with fastened doors?

Have you peace, the quiet urge that reveals your power?

Have you remembrances, the glimmering arches that span the summits of the mind?

Have you beauty, that leads the heart from things fashioned of wood and stone to the holy mountain?

Quindi si fece avanti un muratore, e domandò: Parlaci delle Case.

Ed egli rispose, dicendo:

Immaginate una capanna nel deserto, prima di costruire una casa dentro le mura della città.

Giacché, come rincasate al tramonto, così fa il pellegrino che è in voi, eternamente remoto e solitario.

La casa è il vostro corpo più grande.

Essa cresce nel sole e dorme nella quiete della notte; e non è priva di sogni. Non sogna forse la casa? Non abbandona in sogno la città per i boschi e le colline?

Vorrei nella mia mano raccogliere le vostre case, e come il seminatore, disperderle sui prati e le foreste.

Le vostre strade vorrei fossero valli, e i vostri viali verdissimi sentieri, perché possiate a vicenda cercarvi tra le vigne e giungere con l'abito profumato di terra.

Ma questo non può ancora accadere.

I vostri antenati, paurosi, vi radunarono insieme, troppo vicini. E in voi durerà ancora la paura. E le mura delle vostre città separeranno ancora dai campi i vostri focolari.

Ditemi, gente d'Orfalese, che avete in queste case? Che mai custodite dietro l'uscio sbarrato?

La pace? Il calmo impulso che rivela la forza?

Memorie? L'arco delle chiarità perdute che vi uniscono le cime della mente?

Avete la bellezza che conduce il cuore dal legno e dalla pietra espressi alla montagna sacra?

Tell me, have you these in your houses?

Or have you only comfort, and the lust for comfort, that stealthy thing that enters the house a guest, and then becomes a host, and then a master?

Ay, and it becomes a tamer, and with hook and scourge makes puppets of your larger desires.

Though its hands are silken, its heart is of iron.

It lulls you to sleep only to stand by your bed and jeer at the dignity of the flesh.

It makes mock of your sound senses, and lays them in thistledown like fragile vessels.

Verily the lust for comfort murders the passion of the soul, and then walks grinning in the funeral.

But you, children of space, you restless in rest, you shall not be trapped nor tamed.

Your house shall be not an anchor but a mast.

It shall not be a glistening film that covers a wound, but an eyelid that guards the eye.

You shall not fold your wings that you may pass through doors, nor bend your heads that they strike not against a ceiling, nor fear to breathe lest walls should crack and fall down.

You shall not dwell in tombs made by the dead for the living.

And though of magnificence and splendour, your house shall not hold your secret nor shelter your longing.

For that which is boundless in you abides in the mansion of the sky, whose door is the morning mist, and whose windows are the songs and the silences of night.

Ditemi, tutto ciò avete in casa vostra?
O vi appartiene solamente la brama del benessere che entra segreta e forestiera nella casa per diventarne l'ospite e infine la padrona?

Ahimè, essa vi domina con il rampino e la frusta facendo di voi fantocci delle vostre grandi aspirazioni.
Benché abbia le mani di seta, ha il cuore di ferro.
Vi addormenta, cullandovi, per starvi accanto al letto e burlarsi della vostra nobile carne.
Schernisce i vostri sensi intatti e li depone nella paglia come fragili vasi.
In verità, la brama del benessere uccide la passione dell'anima e ride dietro il suo funerale.

Ma voi figli dell'aria, insonni nel sonno, non sarete ingannati e piegati.
La vostra casa non sarà l'àncora, ma l'albero della nave,
Non la membrana smagliante che vela la piaga, ma una palpebra a difesa dell'occhio.
Non chiuderete le ali per attraversare le porte, non vi chinerete per non urtare la volta, non tratterrete il respiro per paura che si fendano e crollino i muri.
Non vivrete in sepolcri edificati dai morti per i vivi.
E sebbène la vostra sia una casa magnifica e splendida, non serberà il vostro segreto e le vostre aspirazioni.
Poiché ciò che in voi è sconfinato dimora nel cielo dove vi sono cancelli di bruma mattutina, e finestre di canti e di notturna quiete.

And the weaver said, Speak to us of Clothes.

And he answered:

Your clothes conceal much of your beauty, yet they hide not the unbeautiful.

And though you seek in garments the freedom of privacy you may find in them a harness and a chain.

Would that you could meet the sun and the wind with more of your skin and less of your raiment.

For the breath of life is in the sunlight and the hand of life is in the wind.

Some of you say, « It is the north wind who has woven the clothes we wear ».

And I say, Ay, it was the north wind,

But shame was his loom, and the softening of the sinews was his thread.

And when his work was done he laughed in the forest.

Forget not that modesty is for a shield against the eye of the unclean.

And when the unclean shall be no more, what were modesty but a fetter and a fouling of the mind?

And forget not that the earth delights to feel your bare feet and the winds long to play with your hair.

E un tessitore domandò: Parlaci dell'Abito.

Ed egli rispose:

Il vostro abito copre gran parte della vostra bellezza, eppure non copre ciò che non è bello.

E sebbene cercate negli ornamenti una libertà segreta, potreste diventarne gli schiavi.

Vorrei che sulla vostra pelle, più che sull'abito, si posassero il sole e il vento,

Giacché il soffio della vita è nella luce del sole, e la mano della vita è nel vento.

Tra voi alcuni dicono: « È il vento del nord che ha tessuto l'abito che indosso ».

E io vi dico che fu il vento del nord, ma il suo telaio è stata la vergogna, e la mollezza la sua trama.

Compiuta la fatica il vento rise in mezzo alla foresta.

Ricordatevi che la modestia vi fu data a scudo contro gli occhi impuri.

Ma quando sparirà l'impuro, che mai sarà la modestia se non l'impiastro che insudicia la mente?

Ricordate che la terra ama sentire i vostri piedi nudi, e il vento ama scherzare ansioso con la vostra chioma.

And a merchant said, Speak to us of Buying and Selling.

And he answered and said:

To you the earth yields her fruit, and you shall not want if you but know how to fill your hands.

It is in exchanging the gifts of the earth that you shall find abundance and be satisfied.

Yet unless the exchange be in love and kindly justice it will but lead some to greed and others to hunger.

When in the market-place you toilers of the sea and fields and vineyards meet the weavers and the potters and the gatherers of spices,

Invoke then the master spirit of the earth, to come into your midst and sanctify the scales and the reckoning that weighs value against value.

And suffer not the barren-handed to take part in your transactions, who would sell their words for your labour.

To such men you should say:

« Come with us to the field, or go with our brothers to the sea and cast your net;

For the land and the sea shall be bountiful to you even as to us ».

And if there come the singers and the dancers and the flute-players, – buy of their gifts also.

For they too are gatherers of fruit and frankincense, and that which they bring, though fashioned of dreams, is raiment and food for your soul.

And before you leave the market-place, see that no one has gone his way with empty hands.

For the master spirit of the earth shall not sleep peacefully upon the wind till the needs of the least of you are satisfied.

E un mercante domandò: Parlaci del Commercio.

Ed egli rispose, dicendo:

La terra vi concede il suo frutto, e basterà, se voi saprete riempirvene le mani.

Scambiandovi i doni della terra vi sazierete di ricchezze rivelate.

Ma se lo scambio non avverrà in amore e in benefica giustizia, farà gli uni avidi e gli altri affamati.

Quando voi, lavoratori del mare, dei campi e delle vigne, incontrerete sulle piazze del mercato i tessitori, i vasai e gli speziali,

Invocate che lo spirito supremo della terra discenda su di voi a consacrare le bilance e il calcolo, sicché valore corrisponda a valore.

E non lasciate che tratti con voi chi ha la mano sterile, perché vi darà chiacchiere per la vostra fatica.

E a tali uomini direte:

« Seguiteci ai campi o andate con i nostri fratelli a gettare le reti nel mare;

Poi che a voi si mostreranno generosi come a noi si mostrarono la terra e il mare ».

E se colà verranno i danzatori e i cantanti e i suonatori di flauto, comprate pure i loro doni.

Poi che anch'essi raccolgono incensi e frutta, e recano all'anima vostra cibo e ornamento, quantunque lo facciano in sogno.

E prima di lasciare la piazza del mercato, badate che nessuno sia andato via a mani vuote.

Poi che lo spirito supremo della terra non dormirà pacifico nel vento, finché il bisogno dell'ultimo tra voi non sia saziato.

Then one of the judges of the city stood forth and said, Speak to us of Crime and Punishment.

And he answered, saying:

It is when your spirit goes wandering upon the wind,

That you, alone and unguarded, commit a wrong unto others and therefore unto yourself.

And for that wrong committed must you knock and wait a while unheeded at the gate of the blessed.

Like the ocean is your god-self;

It remains for ever undefiled.

And like the ether it lifts but the winged.

Even like the sun is your god-self;

It knows not the ways of the mole nor seeks it the holes of the serpent.

But your god-self dwells not alone in your being.

Much in you is still man, and much in you is not yet man,

But a shapeless pigmy that walks asleep in the mist searching for its own awakening.

And of the man in you would I now speak.

For it is he and not your god-self nor the pigmy in the mist, that knows crime and the punishment of crime.

Oftentimes have I heard you speak of one who commits a wrong as though he were not one of you, but a stranger unto you and an intruder upon your world.

But I say that even as the holy and the righteous cannot rise beyond the highest which is in each one of you,

So the wicked and the weak cannot fall lower than the lowest which is in you also.

Allora un Giudice della città si fece avanti e domandò: Parlaci della Colpa e del Castigo.

Ed egli rispose, dicendo:

Quando lo spirito vostro erra sul vento,

Soli e indifesi fate torti agli altri e perciò a voi stessi.

E per la colpa commessa, dimenticati nella lunga attesa, dovrete battere alla porta dei beati.

Come l'oceano è il vostro Io divino;

Per sempre egli rimane immacolato.

E come l'etere non solleva che gli esseri alati.

Il vostro Io divino è come il sole;

Ignora le gallerie della talpa e non cerca le tane del serpente.

Ma in voi non abita soltanto l'Io divino.

Molto è ancora uomo in voi, e molto non è ancora uomo,

Ma un pigmeo informe e addormentato che cerca il suo risveglio nelle brume.

Ora vorrei parlarvi di quest'uomo,

Giacché, né il vostro Io divino, né il pigmeo nelle brume, ma solo l'uomo conosce la sua colpa e il suo castigo.

Sovente vi ho udito dire di chi sbaglia: non è uno di noi, è un intruso, estraneo al nostro mondo.

Ma io vi dico: come il santo e il giusto non potranno innalzarsi al disopra di voi,

Così il vile e il malvagio non potranno cadere al di sotto di voi.

And as a single leaf turns not yellow but with the silent knowledge of the whole tree,

So the wrong-doer cannot do wrong without the hidden will of you all.

Like a procession you walk together towards your god-self.

You are the way and the wayfarers.

And when one of you falls down he falls for those behind him, a caution against the stumbling stone.

Ay, and he falls for those ahead of him, who though faster and surer of foot, yet removed not the stumbling stone.

And this also, though the word lie heavy upon your hearts:

The murdered is not unaccountable for his own murder,

And the robbed is not blameless in being robbed.

The righteous is not innocent of the deeds of the wicked,

And the white-handed is not clean in the doings of the felon.

Yea, the guilty is oftentimes the victim of the injured,

And still more often the condemned is the burden bearer for the guiltless and unblamed.

You cannot separate the just from the unjust and the good from the wicked;

For they stand together before the face of the sun even as the black thread and the white are woven together.

And when the black thread breaks, the weaver shall look into the whole cloth, and he shall examine the loom also.

If any of you would bring to judgment the unfaithful wife,

Let him also weigh the heart of her husband in scales, and measure his soul with measurements.

And let him who would lash the offender look unto the spirit of the offended.

And if any of you would punish in the name of righteousness and lay the axe unto the evil tree, let him see to its roots;

E come la foglia non ingiallisce senza che tutta la pianta ne sia la complice muta,
Così il malvagio non potrà nuocere se non con il volere nascosto di tutti.
Insieme ve ne andate, come in processione, al vostro Io divino.
Voi siete la via e i viandanti.
E quando cade uno di voi, egli cade per chi segue, e lo ammonisce col suo inciampo.
Ahimè, pure egli cade per chi gli sta dinnanzi, benché sicuro del suo piede non rimosse l'ostacolo.

E vi dirò di più, sebbene la mia parola vi pesi sul cuore:
L'assassinato è responsabile del proprio assassinio;
E il derubato non è senza colpa di essere stato derubato.
Non è il giusto innocente delle malvagie azioni,
E chi ha le mani bianche non è puro di ciò che fa lo scellerato.
Sì, il colpevole sovente è vittima dell'ingiuriato,
E anche più spesso il condannato regge la croce per chi è privo di biasimo e di colpa.
Voi non potete separare il giusto dall'iniquo e dal cattivo il buono;
Giacché insieme se ne stanno sotto il sole, come il filo nero e il filo bianco sono tessuti insieme.
E se si spezza il filo nero, il tessitore rivedrà da cima a fondo il telaio e la tela.

Se uno di voi volesse giudicare una moglie infedele,
Pesi anche il cuore del marito e ne misuri l'anima.
E chi volesse frustare l'offensore scruti nello spirito l'offeso.
E se tra voi qualcuno, in nome della giustizia, vorrà punire con la scure il tronco guasto, ne osservi le radici;

And verily he will find the roots of the good and the bad, the fruitful and the fruitless, all entwined together in the silent heart of the earth.

And you judges who would be just,

What judgment pronounce you upon him who though honest in the flesh yet is a thief in spirit?

What penalty lay you upon him who slays in the flesh yet is himself slain in the spirit?

And how prosecute you him who in action is a deceiver and an oppressor,

Yet who also is aggrieved and outraged?

And how shall you punish those whose remorse is already greater than their misdeeds?

Is not remorse the justice which is administered by that very law which you would fain serve?

Yet you cannot lay remorse upon the innocent nor lift it from the heart of the guilty.

Unbidden shall it call in the night, that men may wake and gaze upon themselves.

And you who would understand justice, how shall you unless you look upon all deeds in the fullness of light?

Only then shall you know that the erect and the fallen are but one man standing in twilight between the night of his pigmy-self and the day of his god-self,

And that the corner-stone of the temple is not higher than the lowest stone in its foundation.

Invero troverà radici del bene e del male, sterili e feconde, tutte intrecciate nel cuore silenzioso della terra.
E voi, giudici, che volete essere giusti,
Che giudizio pronunciate su colui che in spirito è ladro, benché onesto nella carne?
Che pena infliggerete a chi uccide nella carne, ma in spirito è ucciso egli stesso?
E come processate chi inganna e opprime, se pure egli è afflitto e oltraggiato?

E come punirete quelli che già sentono il rimorso più grande del loro misfatto?
Il rimorso non è forse la giustizia retta da quella legge che servireste volentieri?
Eppure non potete imporre il rimorso all'innocente, né strapparlo da un cuore colpevole.
Egli chiamerà nella notte, inavvertito, perché l'uomo si risvegli e scruti in se stesso.
E come potrete voi capire la giustizia, se non esaminate ogni fatto nella luce piena?
Solo così saprete che il caduto e l'eretto sono un unico uomo nel proprio tramonto, tra la sera del suo minuscolo Io e l'alba del suo Io divino.
La pietra angolare del tempio non è certo più alta dell'ultima pietra delle sue fondamenta.

Then a lawyer said, But what of our Laws, master?

And he answered:

You delight in laying down laws,

Yet you delight more in breaking them.

Like children playing by the ocean who build sand-towers with constancy and then destroy them with laughter.

But while you build your sand-towers the ocean brings more sand to the shore,

And when you destroy them the ocean laughs with you.

Verily the ocean laughs always with the innocent.

But what of those to whom life is not an ocean, and man-made laws are not sand-towers,

But to whom life is a rock, and the law a chisel with which they would carve it in their own likeness?

What of the cripple who hates dancers?

What of the ox who loves his yoke and deems the elk and deer of the forest stray and vagrant things?

What of the old serpent who cannot shed his skin, and calls all others naked and shameless?

And of him who comes early to the wedding-feast, and when over-fed and tired goes his way saying that all feasts are violation and all feasters law-breakers?

What shall I say of these save that they too stand in the sunlight, but with their backs to the sun?

They see only their shadows, and their shadows are their laws.

And what is the sun to them but a caster of shadows?

And what is it to acknowledge the laws but to stoop down and trace their shadows upon the earth?

Allora un avvocato disse: Che pensi delle nostre Leggi, Maestro?

Ed egli rispose:

A voi piace emanare le leggi,

Ma più ancora vi piace trasgredirle.

Come fanciulli assidui che innalzano, per gioco in riva al mare, torri di sabbia e le distruggono ridendo.

Ma intanto che innalzate queste torri, il mare trasporta nuova sabbia sulla riva,

E se le distruggete il mare ride con voi.

Il mare, in verità, ride sempre insieme all'innocente.

E che pensate di quelli per cui le leggi umane non sono torri di sabbia e la vita non è un mare?

La loro vita è una roccia che, a propria somiglianza, vorrebbero intagliare con il cesello della legge.

E dello storpio che odia i danzatori?

E del bove che ama il suo giogo, e crede l'alce e il cervo di foresta smarriti e vagabondi?

E della vecchia serpe che non squama più e stima gli altri vergognosi e nudi?

E di colui che va al banchetto nuziale di buon'ora, e torna sazio e stanco, chiamando profano ogni banchetto e i convitati fuori legge?

Di essi dirò che mostrano la schiena al sole,

E vedono soltanto la loro ombra, e questa è la loro legge.

Per loro non è forse il sole un seminatore di ombre?

E non è forse il riconoscere le leggi, chinarsi a fare ombra sulla terra?

But you who walk facing the sun, what images drawn on the earth can hold you?

You who travel with the wind, what weather-vane shall direct your course?

What man's law shall bind you if you break your yoke but upon no man's prison door?

What laws shall you fear if you dance but stumble against no man's iron chains?

And who is he that shall bring you to judgment if you tear off your garment yet leave it in no man's path?

People of Orphalese, you can muffle the drum, and you can loosen the strings of the lyre, but who shall command the skylark not to sing?

Ma quali immagini, tracciate sulla terra, vi possono afferrare, voi che camminate guardando il sole?

E voi che andate con il vento, quale banderuola dirigerà la vostra corsa?

Quale uomo vi legherà con la sua legge, se spezzerete le porte della prigione umana?

E di che leggi v'impaurite, se danzerete evitando le catene dell'uomo e del ferro?

E chi vi porterà in giudizio se, spogli, lascerete il vostro abito sui sentieri umani?

Popolo d'Orfalese, potrai soffocare il suono del tamburo e sciogliere le corde della lira, ma chi comanderà che l'allodola non canti?

And an orator said, Speak to us of Freedom.

And he answered:

At the city gate and by your fireside I have seen you prostrate yourself and worship your own freedom,

Even as slaves humble themselves before a tyrant and praise him though he slays them.

Ay, in the grove of the temple and in the shadow of the citadel I have seen the freest among you wear their freedom as a yoke and a handcuff.

And my heart bled within me; for you can only be free when even the desire of seeking freedom becomes a harness to you, and when you cease to speak of freedom as a goal and a fulfilment.

You shall be free indeed when your days are not without a care nor your nights without a want and a grief,

But rather when these things girdle your life and yet you rise above them naked and unbound.

And how shall you rise beyond your days and nights unless you break the chains which you at the dawn of your understanding have fastened around your noon hour?

In truth that which you call freedom is the strongest of these chains, though its links glitter in the sun and dazzle your eyes.

And what is it but fragments of your own self you would discard that you may become free?

If it is an unjust law you would abolish, that law was written with your own hand upon your own forehead.

E un oratore domandò: Parlaci della Libertà.

Ed egli rispose:

Alle porte della città e presso il focolare vi ho veduto: adoravate, prostrati, la vostra libertà,

Come gli schiavi si umiliano, lodando il tiranno che li uccide.

Al bosco sacro e all'ombra della torre ho veduto, ahimè: per il più libero di voi la libertà non era che prigione.

E il mio cuore sanguinò; perché sarete liberi soltanto quando imbriglierete il vostro desiderio di libertà, cessando di considerarlo un fine e un compimento.

In verità sarete liberi quando l'affanno riempirà il vostro giorno, e il bisogno e il dolore la notte.

Sarete più liberi con questa cintura, e più alti, nudi e senza vincoli.

Ma come potrete innalzarvi oltre i giorni e le notti, se non spezzerete le catene che, all'alba della vostra conoscenza, imprigionarono il meriggio?

Quella che chiamate libertà è la più forte di queste catene, benché i suoi anelli vi abbaglino, scintillando al sole.

E ciò che vorreste escludere per essere liberi, non è forse parte di voi stessi?

L'ingiusta legge che vorreste distruggere è la stessa che la vostra mano vi ha scritto sulla fronte.

You cannot erase it by burning your law books nor by washing the foreheads of your judges, though you pour the sea upon them.

And if it is a despot you would dethrone, see first that his throne erected within you is destroyed.

For how can a tyrant rule the free and the proud, but for a tyranny in their own freedom and a shame in their own pride?

And if it is a care you would cast off, that care has been chosen by you rather than imposed upon you.

And if it is a fear you would dispel, the seat of that fear is in your heart and not in the hand of the feared.

Verily all things move within your being in constant half embrace, the desired and the dreaded, the repugnant and the cherished, the pursued and that which you would escape.

These things move within you as lights and shadows in pairs that cling.

And when the shadow fades and is no more, the light that lingers becomes a shadow to another light.

And thus your freedom when it loses its fetters becomes itself the fetter of a greater freedom.

Non potete cancellarla bruciando i libri di diritto, né lavando la fronte dei giudici, neppure con il mare.

Se volete privare un despota del trono, badate che il vostro trono sia già stato distrutto.

Poi che il tiranno può regnare su uomini liberi e fieri, solo per una tirannia nella loro libertà e una vergogna nel loro orgoglio.

E se volete liberarvi di un affanno, ricordate che voi l'avete scelto, e non vi è stato imposto.

E se volete disperdere un timore, cercatelo in voi e non nella mano di un nemico.

In verità ciò che bramate o che temete, che vi ripugna e vi accarezza, ciò che evitate o perseguite, ogni cosa in voi lievita in un tenace e incompiuto abbraccio,

E come luci e ombre accoppiate in una stretta, vi fermenta in cuore.

E se un'ombra dilegua, la luce che si accende diventa un'ombra per un'altra luce.

Così se la vostra libertà spezza le catene essa diventa la catena di una libertà più grande.

And the priestess spoke again and said: Speak to us of Reason and Passion.

And he answered, saying:

Your soul is oftentimes a battlefield, upon which your reason and your judgment wage war against your passion and your appetite.

Would that I could be the peacemaker in your soul, that I might turn the discord and the rivalry of your elements into oneness and melody.

But how shall I, unless you yourselves be also the peacemakers, nay, the lovers of all your elements?

Your reason and your passion are the rudder and the sails of your seafaring soul.

If either your sails or your rudder be broken, you can but toss and drift, or else be held at a standstill in mid-seas.

For reason, ruling alone, is a force confining; and passion, unattended, is a flame that burns to its own destruction.

Therefore let your soul exalt your reason to the height of passion, that it may sing;

And let it direct your passion with reason, that your passion may live through its own daily resurrection, and like the phoenix rise above its own ashes.

I would have you consider your judgment and your appetite even as you would two loved guests in your house.

Surely you would not honour one guest above the other; for he who is more mindful of one loses the love and the faith of both.

Among the hills, when you sit in the cool shade of the white poplars, sharing the peace and serenity of distant

E nuovamente la sacerdotessa domandò: Parlaci della Ragione e della Passione.

Ed egli rispose dicendo:

La vostra anima è sovente un campo di battaglia, dove il giudizio e la ragione fanno guerra all'appetito e alla passione.

Potessi io conciliarvi, e mutare in voi rivalità in unione e discordia in armonia!

Ma come potrò farlo, se voi stessi non siete i mediatori e gli amanti di ogni vostro elemento?

La ragione e la passione sono il timone e la vela di quel navigante che è l'anima vostra.

Se il timone o la vela si spezzano, sbandati, andrete alla deriva o resterete fermi in mezzo al mare.

Poi che, se la ragione domina da sola, è una forza che imprigiona; e la passione, se incustodita, è una fiamma che brucia e si distrugge.

Perciò la vostra anima esalti la ragione fino alla passione, affinché essa canti,

E con la ragione diriga la passione, affinché questa viva in resurrezione quotidiana, e sorga come la fenice dalle ceneri.

Vorrei che l'appetito e il giudizio fossero per voi come due amici invitati a casa vostra.

L'onore non andrebbe certo all'uno più che all'altro; giacché se hai più riguardi verso un ospite solo, perdi l'affetto e la fiducia di entrambi.

Quando, sui colli, sedete all'ombrosa frescura dei pallidi pioppi, ed è vostra la pace serena e lontana dei campi

fields and meadows – then let your heart say in silence, « God rests in reason ».

And when the storm comes, and the mighty wind shakes the forest, and thunder and lightning proclaim the majesty of the sky, – then let your heart say in awe, « God moves in passion ».

And since you are a breath in God's sphere, and a leaf in God's forest, you too should rest in reason and move in passion.

e dei prati, allora vi sussurri il cuore: « Nella ragione riposa Dio ».

E quando scoppia la tempesta e il vento titano scuote la foresta, e lampi e tuoni annunciano la maestà del cielo, allora dite nel cuore con venerata paura: « Nella passione si muove Dio ».

Così, essendo un alito nella sfera di Dio e nella sua foresta una foglia, la ragione sarà il vostro riposo e la passione il vostro moto.

And a woman spoke, saying, Tell us of Pain.

And he said:

Your pain is the breaking of the shell that encloses your understanding.

Even as the stone of the fruit must break, that its heart may stand in the sun, so must you know pain.

And could you keep your heart in wonder at the daily miracles of your life, your pain would not seem less wondrous than your joy;

And you would accept the seasons of your heart, even as you have always accepted the seasons that pass over your fields.

And you would watch with serenity through the winters of your grief.

Much of your pain is self-chosen.

It is the bitter potion by which the physician within you heals your sick self.

Therefore trust the physician, and drink his remedy in silence and tranquillity:

For his hand, though heavy and hard, is guided by the tender hand of the Unseen,

And the cup he brings, though it burn your lips, has been fashioned of the clay which the Potter has moistened with His own sacred tears.

E una donna domandò: Parlaci del Dolore.

Ed egli disse:

Il dolore è il rompersi del guscio che racchiude la vostra intelligenza.

Come il nocciolo del frutto deve rompersi per esporsi al sole, così dovrete conoscere il dolore.

E se sapeste voi meravigliarvi in cuore dei prodigi quotidiani della vita, il dolore non vi stupirebbe meno della gioia;

Accogliereste le stagioni del vostro cuore, come avete sempre accolto le stagioni che si susseguono sui vostri campi.

E veglìereste sereni anche negli inverni della vostra pena.

Una parte del vostro dolore è scelta da voi stessi.

È la pozione amara con la quale il medico, che è chiuso in voi, guarisce il vostro male.

Confidate in lui e bevete il suo rimedio, in pace e silenziosi:

Poi che la sua mano, benché pesante e rude, è retta da una mano tenera e invisibile,

E la coppa che vi porge, sebbene bruci il vostro labbro, è stata fatta con la creta che il Vasaio ha inumidito con le Sue lagrime sante.

And a man said, Speak to us of Self-Knowledge.

And he answered, saying:

Your hearts know in silence the secrets of the days and the nights.

But your ears thirst for the sound of your heart's knowledge.

You would know in words that which you have always known in thought.

You would touch with your fingers the naked body of your dreams.

And it is well you should.

The hidden well-spring of your soul must needs rise and run murmuring to the sea;

And the treasure of your infinite depths would be revealed to your eyes.

But let there be no scales to weigh your unknown treasure;

And seek not the depths of your knowledge with staff or sounding line.

For self is a sea boundless and measureless.

Say not, « I have found the truth », but rather, « I have found a truth ».

Say not, « I have found the path of the soul ». Say rather, « I have met the soul walking upon my path ».

For the soul walks upon all paths.

The soul walks not upon a line, neither does it grow like a reed.

The soul unfolds itself, like a lotus of countless petals.

E un uomo domandò: Parlaci della Conoscenza.

Ed egli rispose, dicendo:

Il vostro cuore conosce in silenzio i segreti dei giorni e delle notti.

Ma l'orecchio è assetato dell'eco di ciò che sa il vostro cuore.

Vorreste esprimere ciò che avete sempre pensato.

Vorreste toccare con mano il nudo corpo dei sogni.

Ed è bene lo sappiate:

La sorgente chiusa nell'anima vostra dovrà scaturire un giorno, e mormorare verso il mare;

E ai vostri occhi si svelerà il tesoro della vostra immensità.

Ma non con la bilancia peserete questo tesoro ignoto;

E non sondate con l'asta o lo scandaglio le vostre sapienti profondità.

Poi che il vostro Io è un infinito e sconfinato mare.

Non dite, « Ho trovato la verità », ma piuttosto, « Ho trovato una verità ».

Non dite, « Ho trovato il sentiero dell'anima », dite piuttosto, « Sul mio sentiero ho incontrato l'anima in cammino ».

Poi che l'anima cammina su tutti i sentieri.

L'anima non va su di una linea, e non cresce come una canna.

L'anima si svolge in mille petali come un fiore di loto.

Then said a teacher, Speak to us of Teaching.

And he said:

No man can reveal to you aught but that which already lies half asleep in the dawning of your knowledge.

The teacher who walks in the shadow of the temple, among his followers, gives not of his wisdom but rather of his faith and his lovingness.

If he is indeed wise he does not bid you enter the house of his wisdom, but rather leads you to the threshold of your own mind.

The astronomer may speak to you of his understanding of space, but he cannot give you his understanding.

The musician may sing to you of the rhythm which is in all space, but he cannot give you the ear which arrests the rhythm, nor the voice that echoes it.

And he who is versed in the science of numbers can tell of the regions of weight and measure, but he cannot conduct you thither.

For the vision of one man lends not its wings to another man.

And even as each one of you stands alone in God's knowledge, so must each one of you be alone in his knowledge of God and in his understanding of the earth.

E un maestro domandò: Parlaci dell'Insegnamento.

Ed egli disse:

Nessuno può insegnarvi nulla, se non ciò che in dormiveglia giace nell'alba della vostra conoscenza.

Il maestro che cammina all'ombra del tempio, tra i discepoli, non dà la sua scienza, ma il suo amore e la sua fede.

E se egli è saggio non vi invita a entrare nella casa della sua scienza, ma vi conduce alla soglia della vostra mente.

L'astronomo può dirvi ciò che sa degli spazi, ma non può darvi la propria conoscenza.

Il musico vi canterà la melodia che è nell'aria, ma non può darvi il suono fissato nell'orecchio, né l'eco nella voce.

E il matematico potrà descrivervi regioni di pesi e di misure, ma colà non vi potrà guidare.

Giacché la visione di un uomo non impresta le sue ali a un altro uomo.

E come Dio vi conosce da soli, così tra voi ognuno deve essere solo a conoscere Dio, e da solo comprenderà la terra.

And a youth said, Speak to us of Friendship.
And he answered, saying:
Your friend is your needs answered.
He is your field which you sow with love and reap with thanksgiving.
And he is your board and your fireside.
For you come to him with your hunger, and you seek him for peace.

When your friend speaks his mind you fear not the « nay » in your own mind, nor do you withhold the « ay ».
And when he is silent your heart ceases not to listen to his heart;
For without words, in friendship, all thoughts, all desires, all expectations are born and shared, with joy that is unacclaimed.
When you part from your friend, you grieve not;
For that which you love most in him may be clearer in his absence, as the mountain to the climber is clearer from the plain.
And let there be no purpose in friendship save the deepening of the spirit.
For love that seeks aught but the disclosure of its own mystery is not love but a net cast forth: and only the unprofitable is caught.

And let your best be for your friend.
If he must know the ebb of your tide, let him know its flood also.
For what is your friend that you should seek him with hours to kill?

E un giovanetto domandò: Parlaci dell'Amicizia.

Ed egli rispose, dicendo:

Il vostro amico è il vostro bisogno saziato.

È il vostro campo che seminate con amore e mietete con più riconoscenza.

È la vostra mensa e la vostra dimora.

Poi che, affamati, vi rifugiate in lui e lo cercate per la vostra pace.

Se l'amico vi confida il suo pensiero, non nascondetegli il vostro, sia rifiuto o consenso.

Quando lui tace, il vostro cuore non smette di ascoltare il suo cuore;

Poi che nell'amicizia ogni pensiero, desiderio, speranza nasce in silenzio e si divide con inesprimibile gioia.

Se vi separate dall'amico, non provate dolore;

Poi che la sua assenza può schiarirvi ciò che più in lui amate, come allo scalatore la montagna è più chiara dal piano.

E non vi sia nell'amicizia altro intento che scavarsi nello spirito, a vicenda.

Poi che l'amore che non cerca soltanto lo schiudersi del proprio mistero, non è amore, ma il breve lancio di una rete in cui si afferra solo ciò che è vano.

La parte migliore sia per il vostro amico.

Se egli dovrà conoscere il riflusso della vostra marea, fate che ne conosca anche il flusso.

Quale amico è il vostro, per cercarlo nelle ore di morte?

Seek him always with hours to live.

For it is his to fill your need, but not your emptiness.

And in the sweetness of friendship let there be laughter, and sharing of pleasures.

For in the dew of little things the heart finds its morning and is refreshed.

Cercatelo sempre nelle ore di vita.
Poi che egli può colmare ogni bisogno, ma non il vostro nulla.
E dividetevi i piaceri, sorridendo nella dolcezza dell'amicizia.
Poi che nella rugiada delle piccole cose il cuore scopre il suo mattino e si conforta.

And then a scholar said, Speak of Talking.

And he answered, saying:

You talk when you cease to be at peace with your thoughts;

And when you can no longer dwell in the solitude of your heart you live in your lips, and sound is a diversion and a pastime.

And in much of your talking, thinking is half murdered.

For thought is a bird of space, that in a cage of words may indeed unfold its wings but cannot fly.

There are those among you who seek the talkative through fear of being alone.

The silence of aloneness reveals to their eyes their naked selves and they would escape.

And there are those who talk, and without knowledge or forethought reveal a truth which they themselves do not understand.

And there are those who have the truth within them, but they tell it not in words.

In the bosom of such as these the spirit dwells in rhythmic silence.

When you meet your friend on the roadside or in the market-place, let the spirit in you move your lips and direct your tongue.

Let the voice within your voice speak to the ear of his ear;

For his soul will keep the truth of your heart as the taste of the wine is remembered.

When the colour is forgotten and the vessel is no more.

E allora uno studioso domandò: Spiegaci la Parola.

Ed egli rispose, dicendo:

Voi parlate quando non siete più in pace con i vostri pensieri;

E vivete con le labbra quando non è più un rifugio la solitudine del cuore, e il suono è uno svago e un passatempo.

In molte parole il vostro pensiero è ucciso.

Poi che il pensiero è un lieve uccello, che può spiegare, sì, le ali in una gabbia di parole, ma non potrà volare.

Tra voi vi sono quelli che per non stare soli cercano gli uomini loquaci.

Il silenzio della solitudine scopre la loro nudità, e vorrebbero fuggirla.

E vi sono quelli che parlano di verità incomprese a loro stessi con parole ignoranti e imponderate.

E quelli invece che hanno in sé la verità, ma non la esprimono in parole.

Nel loro petto lo spirito dimora in un armonico silenzio.

Se per la strada o sulla piazza di mercato incontrate un amico, lasciate che lo spirito vi muova le labbra e vi guidi la lingua.

Lasciate che la voce della vostra voce parli all'orecchio del suo orecchio;

Giacché custodirà nell'anima la verità del vosto cuore, come si ricorda il sapore del vino quando il bicchiere e il suo colore sono ormai perduti.

And an astronomer said, Master, what of Time?

And he answered:

You would measure time the measureless and the immeasurable.

You would adjust your conduct and even direct the course of your spirit according to hours and seasons.

Of time you would make a stream upon whose bank you would sit and watch its flowing.

Yet the timeless in you is aware of life's timelessness,

And knows that yesterday is but to-day's memory and to-morrow is to-day's dream.

And that that which sings and contemplates in you is still dwelling within the bounds of that first moment which scattered the stars into space.

Who among you does not feel that his power to love is boundless?

And yet who does not feel that very love, though boundless, encompassed within the centre of his being, and moving not from love thought to love thought, nor from love deeds to other love deeds?

And is not time even as love is, undivided and paceless?

But if in your thought you must measure time into seasons, let each season encircle all the other seasons,

And let to-day embrace the past with remembrance and the future with longing.

E un astronomo domandò: Maestro che dici del Tempo?
Ed egli rispose:
Vorreste misurare il tempo che non ha misure, e non potrete misurarlo.
Vorreste comportarvi conformi alle ore e alle stagioni, e dirigere perfino il corso dello spirito.
Del tempo vorreste fare una corrente per vigilarne lo scorrere seduti sulla riva.

Ma ciò che è eterno in voi, sa che la vita è eterna.
Oggi non è che il ricordo di ieri, e domani non è che il sogno di oggi.
E ciò che in voi è canto ed estasi dimora ancora nei confini dell'attimo primo, che nello spazio disseminò le stelle.
Chi di voi non sente che la sua forza d'amore è illimitata?
E chi non sente che, pure illimitato, questo amore è chiuso nel centro dell'essere, e non oscilla da pensiero a pensiero, né da amore ad amore?
Come l'amore, non è forse il tempo indivisibile e immoto?

Ma se credete di misurare con le stagioni il tempo, sappiate allora che le stagioni si cingono l'un l'altra,
E il presente abbraccia il passato con il ricordo, e con la speranza l'avvenire.

And one of the elders of the city said, Speak to us of Good and Evil.

And he answered:

Of the good in you I can speak, but not of the evil.

For what is evil but good tortured by its own hunger and thirst?

Verily when good is hungry it seeks food even in dark caves, and when it thirsts it drinks even of dead waters.

You are good when you are one with yourself.

Yet when you are not one with yourself you are not evil.

For a divided house is not a den of thieves; it is only a divided house.

And a ship without rudder may wander aimlessly among perilous isles yet sink not to the bottom.

You are good when you strive to give of yourself.

Yet you are not evil when you seek gain for yourself.

For when you strive for gain you are but a root that clings to the earth and sucks at her breast.

Surely the fruit cannot say to the root, « Be like me, ripe and full and ever giving of your abundance ».

For to the fruit giving is a need, as receiving is a need to the root.

You are good when you are fully awake in your speech.

Yet you are not evil when you sleep while your tongue staggers without purpose.

And even stumbling speech may strengthen a weak tongue.

E un anziano della città domandò: Parlaci del Bene e del Male.

Ed egli rispose:

Io posso parlare del vostro bene, ma non del vostro male.

Poi che il cattivo non è che il buono torturato dalla sua fame e la sua sete.

In verità, il buono affamato può cercare il cibo in una caverna oscura, e assetato può bere un'acqua morta.

Siete buoni quando non siete che voi stessi.

Ma anche se non siete un'unica cosa con voi stessi, voi non siete cattivi.

Poi che una casa divisa non è un covo di ladri; è solo una casa divisa.

E una nave privata del timone può errare all'infinito tra isole rischiose senza fare naufragio.

Siete buoni nello sforzo di dare voi stessi,

Ma non siete cattivi nel guadagnare per voi.

Poi che, guadagnando, non siete che una radice avvinghiatasi alla terra per succhiarne il seno.

Certo, il frutto non potrà dire alla radice, « Sii come me, maturo e pieno, nella mia facile abbondanza ».

Poi che, come il frutto ha bisogno di dare, così la radice ha bisogno di ricevere.

Siete buoni quando la vostra parola è cosciente,

Ma non siete cattivi nel sonno quando la vostra lingua vaneggia.

Anche un discorso confuso rinforza una debole lingua.

You are good when you walk to your goal firmly and with bold steps.

Yet you are not evil when you go thither limping.

Even those who limp go not backward.

But you who are strong and swift, see that you do not limp before the lame, deeming it kindness.

You are good in countless ways, and you are not evil when you are not good,

You are only loitering and sluggard.

Pity that the stags cannot teach swiftness to the turtles.

In your longing for your giant self lies your goodness: and that longing is in all of you.

But in some of you that longing is a torrent rushing with might to the sea, carrying the secrets of the hillsides and the songs of the forest.

And in others it is a flat stream that loses itself in angles and bends and lingers before it reaches the shore.

But let not him who longs much say to him who longs little, « Wherefore are you slow and halting? ».

For the truly good ask not the naked, « Where is your garment? » nor the houseless, « What has befallen your house? ».

Siete buoni quando v'incamminate alla meta, tenaci e con piede sicuro.
Ma non siete cattivi se vi andate zoppicando.
Anche gli zoppi non tornano indietro.
Ma voi, che siete agili e forti, non assecondate lo zoppo, stimandovi cortesi.

Voi siete buoni diversamente, e non siete cattivi quando non siete buoni,
Siete soltanto svogliati e pigri.
Peccato che non può il cervo insegnare alla tartaruga a essere veloce.

Un gigante è chiuso in voi; e nel volerlo sta la vostra bontà; e questa è in tutti gli uomini.
In alcuni è un torrente che scende a precipizio verso il mare, sradicando segreti alle montagne e canzoni alle foreste.
E in altri è una corrente calma che curva divagando e langue prima di sfociare ai lidi.
Ma chi desidera molto non dica a chi desidera poco, « Perché tu esiti e indugi? ».
Poi che il buono in verità non chiede a chi è nudo, « Dov'è il tuo vestito? ». E a chi è senza tetto, « E la tua casa? ».

Then a Priestess said, Speak to us of Prayer.

And he answered, saying:

You pray in your distress and in your need; would that you might pray also in the fullness of your joy and in your days of abundance.

For what is prayer but the expansion of yourself into the living ether?

And if it is for your comfort to pour your darkness into space, it is also for your delight to pour forth the dawning of your heart.

And if you cannot but weep when your soul summons you to prayer, she should spur you again and yet again, though weeping, until you shall come laughing.

When you pray you rise to meet in the air those who are praying at that very hour, and whom save in prayer you may not meet.

Therefore let your visit to that temple invisible be for naught but ecstasy and sweet communion.

For if you should enter the temple for no other purpose than asking you shall not receive:

And if you should enter into it to humble yourself you shall not be lifted:

Or even if you should enter into it to beg for the good of others you shall not be heard.

It is enough that you enter the temple invisible.

I cannot teach you how to pray in words.

God listens not to your words save when He Himself utters them through your lips.

Allora domandò una sacerdotessa: Parlaci della Preghiera.

Ed egli rispose, dicendo:

Voi pregate nella disperazione e nel bisogno; pregate piuttosto nella gioia piena e nei giorni d'abbondanza.

Poi che non è forse la preghiera l'espansione di voi stessi nell'etere vivente?

Se versare la vostra oscurità nello spazio vi conforta, una gioia più grande è versare la vostra luce.

E se piangete soltanto quando l'anima vi chiama alla preghiera, essa dovrebbe mutare le vostre lagrime fino al sorriso.

Quando pregate v'innalzate a incontrare nell'aria quelli che pregano nel medesimo istante; voi non potete incontrarli che nella preghiera.

Perciò questa visita all'invisibile tempio non sia che un'estasi e una dolce comunione.

Poi che se entrate nel tempio soltanto per chiedere, non riceverete:

Se entrate per umiliarvi, non sarete innalzati:

E se entrate a intercedere per altri, non sarete esauditi.

Basta entrare nell'invisibile tempio!

Io non posso insegnarvi a pregare.

Dio non ascolta le vostre parole, se egli stesso non le pronuncia con le vostre labbra.

And I cannot teach you the prayer of the seas and the forests and the mountains.

But you who are born of the mountains and the forests and the seas can find their prayer in your heart,

And if you but listen in the stillness of the night you shall hear them saying in silence:

« Our God, who art our winged self, it is thy will in us that willeth.

It is thy desire in us that desireth.

It is thy urge in us that would turn our nights, which are thine, into days, which are thine also.

We cannot ask thee for aught, for thou knowest our needs before they are born in us:

Thou art our need; and in giving us more of thyself thou givest us all ».

E io non posso insegnarvi come pregano i mari, i monti e le foreste.

Ma voi, figli dei monti, delle foreste e dei mari, potete scoprire la loro preghiera nel fondo del cuore.

Tendete l'orecchio nelle pacifiche notti, e udrete mormorare,

« Dio nostro, ala di noi stessi, noi vogliamo con la tua volontà.

Desideriamo con il tuo desiderio.

Il tuo impulso trasforma le nostre notti che sono le tue notti, i nostri giorni che sono i tuoi giorni.

Non possiamo chiederti nulla; tu conosci i nostri bisogni prima ancora che nascano;

Il nostro bisogno sei tu; nel darci più di te stesso, ci dai tutto ».

Then a hermit, who visited the city once a year, came forth and said, Speak to us of Pleasure.

And he answered, saying:

Pleasure is a freedom-song,

But it is not freedom.

It is the blossoming of your desires,

But it is not their fruit.

It is a depth calling unto a height,

But it is not the deep nor the high.

It is the caged taking wing,

But it is not space encompassed.

Ay, in very truth, pleasure is a freedom-song.

And I fain would have you sing it with fullness of heart; yet I would not have you lose your hearts in the singing.

Some of your youth seek pleasure as if it were all, and they are judged and rebuked.

I would not judge nor rebuke them. I would have them seek.

For they shall find pleasure, but not her alone;

Seven are her sisters, and the least of them is more beautiful than pleasure.

Have you not heard of the man who was digging in the earth for roots and found a treasure?

And some of your elders remember pleasures with regret like wrongs committed in drunkenness.

But regret is the beclouding of the mind and not its chastisement.

They should remember their pleasures with gratitude, as they would the harvest of a summer.

Yet if it comforts them to regret, let them be comforted.

Allora un eremita, che visitava la città una volta all'anno, si fece avanti e domandò: Parlaci del Piacere.

Ed egli rispose, dicendo:

Il piacere è una canzone di libertà,
Ma non è la libertà.
È la fioritura dei vostri desideri,
Ma non è il loro frutto.
È una profondità che spinge verso l'alto,
Ma non è la valle né la cima.
È l'uccello in gabbia che prende il volo,
Ma non è lo spazio imprigionato.
Ahimè, il piacere, invero, è una canzone di libertà.

E io vorrei che la intonaste a cuore pieno, ma temo che a cantarla perdereste il cuore.

Alcuni giovani, tra voi, cercano il piacere come se fosse tutto, e sono giudicati e biasimati.

Non biasimateli, ma lasciateli cercare.

Poi che essi troveranno il piacere, ma non solo quello;

Il piacere ha sette fratelli, e il minore è il più bello.

Non avete udito di quell'uomo che, scavando la terra in cerca di radici, scoprì il tesoro?

E tra voi alcuni anziani, nel ricordo, si rammaricano dei piaceri come di errori compiuti nell'ebbrezza.

Ma il rammarico è la nebbia della mente, e non il suo castigo.

Dovrebbero rammentarsi dei loro piaceri, riconoscenti come al raccolto di un'estate.

Ma se il rammarico li conforta, si confortino pure.

And there are among you those who are neither young to seek nor old to remember;

And in their fear of seeking and remembering they shun all pleasures, lest they neglect the spirit or offend against it.

But even in their foregoing is their pleasure.

And thus they too find a treasure though they dig for roots with quivering hands.

But tell me, who is he that can offend the spirit?

Shall the nightingale offend the stillness of the night, or the firefly the stars?

And shall your flame or your smoke burden the wind?

Think you the spirit is a still pool which you can trouble with a staff?

Oftentimes in denying yourself pleasure you do but store the desire in the recesses of your being.

Who knows but that which seems omitted to-day, waits for to-morrow?

Even your body knows its heritage and its rightful need and will not be deceived.

And your body is the harp of your soul,

And it is yours to bring forth sweet music from it or confused sounds.

And now you ask in your heart, « How shall we distinguish that which is good in pleasure from that which is not good? ».

Go to your fields and your gardens, and you shall learn that it is the pleasure of the bee to gather honey of the flower,

But it is also the pleasure of the flower to yield its honey to the bee.

For to the bee a flower is a fountain of life,

And to the flower a bee is a messenger of love,

And to both, bee and flower, the giving and the receiving of pleasure is a need and an ecstasy.

People of Orphalese, be in your pleasures like the flowers and the bees.

E tra voi vi sono quelli che non sono né giovani per cercare, né vecchi per ricordare;

Così, temendo di cercare e ricordare, essi fuggono i piaceri, per non dimenticare e offendere lo spirito.

Tale rinuncia è il loro piacere.

E così anch'essi scoprono tesori, sebbene scavino radici con mani tremanti.

Ma ditemi, chi mai può offendere lo spirito?

L'usignolo offenderà il silenzio della notte, o la lucciola le stelle?

La vostra fiamma e il vostro fumo impediranno il vento?

Pensate forse di poter turbare lo spirito con un bastone, come uno stagno tranquillo?

Spesso, negandovi al piacere, non fate altro che riporne il desiderio nei recessi della vita.

Chissà che non vi attenda domani ciò che oggi avete tralasciato?

Il vostro corpo conosce il suo retaggio e il giusto suo bisogno, e non subisce inganno.

Il vostro corpo è l'arpa della vostra anima,

E tocca a voi di trarne dolci armonie o confusi suoni.

Ora domandatevi in cuore, « Come potremo distinguere il buono e il cattivo nel piacere? ».

Andate nei campi e nei vostri giardini, e vedrete che il piacere dell'ape è raccogliere miele dal fiore,

E il piacere del fiore è concedere all'ape il suo miele.

Poi che un fiore per l'ape è una fontana di vita,

E un'ape per il fiore è una messaggera d'amore,

E darsi e ricevere piacere è insieme l'utilità e l'estasi per l'ape e per il fiore.

Popolo d'Orfalese, nei piaceri siate come le api e come i fiori.

And a poet said, Speak to us of Beauty.

And he answered:

Where shall you seek beauty, and how shall you find her unless she herself be your way and your guide?

And how shall you speak of her except she be the weaver of your speech?

The aggrieved and the injured say, « Beauty is kind and gentle.

Like a young mother half-shy of her own glory she walks among us ».

And the passionate say, « Nay, beauty is a thing of might and dread.

Like the tempest she shakes the earth beneath us and the sky above us ».

The tired and the weary say, « Beauty is of soft whisperings. She speaks in our spirit.

Her voice yields to our silences like a faint light that quivers in fear of the shadow ».

But the restless say, « We have heard her shouting among the mountains,

And with her cries came the sound of hoofs, and the beating of wings and the roaring of lions ».

At night the watchmen of the city say, « Beauty shall rise with the dawn from the east ».

And at noontide the toilers and the wayfarers say, « We have seen her leaning over the earth from the windows of the sunset ».

E un poeta domandò: Parlaci della Bellezza.
Ed egli rispose:
Dove cercherete e come scoprirete la bellezza, se questa non vi è di sentiero e di guida?
E come ne parlerete, se non è la tessitrice del vostro discorso?

L'afflitto e l'oltraggiato dicono, « La bellezza è gentile e generosa,
Essa cammina fra noi come una giovane madre quasi confusa dalla sua stessa gloria ».
E l'appassionato dice, « No, la bellezza è forza e paura.
In basso scuote la terra, e in alto il cielo nella tempesta ».

Altri nel tedio e nella fatica dicono, « La bellezza è un fragile bisbiglio. Parla nel nostro spirito.
La sua voce, come una fioca luce che trema per l'ombra, viene meno nei nostri silenzi ».
Ma l'inquieto dice, « L'ho udita gridare tra i monti,
E il suo urlo mi recò un frastuono di zoccoli, fremiti d'ali e ruggiti di leoni ».

Le guardie della città dicono alla notte, « Con l'alba la bellezza sorgerà da oriente ».
E il viandante e l'operaio dicono al meriggio, « Io la vidi che si sporgeva sulla terra dai davanzali del tramonto ».

In winter say the snow-bound, « She shall come with the spring leaping upon the hills ».

And in the summer heat the reapers say, « We have seen her dancing with the autumn leaves, and we saw a drift of snow in her hair ».

All these things have you said of beauty,

Yet in truth you spoke not of her but of needs unsatisfied,

And beauty is not a need but an ecstasy.

It is not a mouth thirsting nor an empty hand stretched forth,

But rather a heart inflamed and a soul enchanted.

It is not the image you would see nor the song you would hear,

But rather an image you see though you close your eyes and a song you hear though you shut your ears.

It is not the sap within the furrowed bark, nor a wing attached to a claw,

But rather a garden for ever in bloom and a flock of angels for ever in flight.

People of Orphalese, beauty is life when life unveils her holy face.

But you are life and you are the veil.

Beauty is eternity gazing at itself in a mirror.

But you are eternity and you are the mirror.

D'inverno chi è isolato dalla neve dice, « Essa scenderà sulle colline, in capriole, a primavera ».
E nell'afosa estate il mietitore dice, « La vidi danzare con le foglie dell'autunno, e con spirali di neve tra i capelli ».
Così, tutti avete descritto la bellezza,
E in verità non parlavate di questa, ma di bisogni insoddisfatti,
E la bellezza non è un bisogno, ma un'estasi.
Non è una bocca assetata, e non è una mano vuota e protesa,
Piuttosto un cuore infiammato e un'anima incantata.
Non è l'effige che vorreste ammirare, né il canto che vorreste ascoltare,
Piuttosto è un'effige che vedete, a occhi spenti, e un canto che udite, a orecchie chiuse.
Non è la linfa nelle rughe di corteccia, né l'ala congiunta all'artiglio,
Piuttosto un giardino di fiori perpetui e uno sciame d'angeli eternamente in volo.

Gente d'Orfalese, la bellezza è la vita, quando la vita rivela il suo profilo benedetto.
Ma voi siete la vita e siete il velo.
La bellezza è eternità che si mira in uno specchio.
Ma voi siete l'eternità e siete lo specchio.

And an old priest said, Speak to us of Religion.
And he said:
Have I spoken this day of aught else?
Is not religion all deeds and all reflection,
And that which is neither deed nor reflection, but a wonder and a surprise ever springing in the soul, even while the hands hew the stone or tend the loom?
Who can separate his faith from his actions, or his belief from his occupations?
Who can spread his hours before him, saying, « This for God and this for myself; This for my soul, and this other for my body? ».
All your hours are wings that beat through space from self to self.
He who wears his morality but as his best garment were better naked.
The wind and the sun will tear no holes in his skin.
And he who defines his conduct by ethics imprisons his song-bird in a cage.
The freest song comes not through bars and wires.
And he to whom worshipping is a window, to open but also to shut, has not yet visited the house of his soul whose windows are from dawn to dawn.

Your daily life is your temple and your religion.
Whenever you enter into it take with you your all.
Take the plough and the forge and the mallet and the lute,
The things you have fashioned in necessity or for delight.
For in revery you cannot rise above your achievements nor fall lower than your failures.

E un vecchio sacerdote domandò: Parlaci della Religione.

Ed egli rispose:

Oggi ho forse parlato d'altro?

Religione non è ogni azione e ogni riflessione,

E ciò che non è azione e riflessione, è una sorpresa e uno stupore che eternamente sgorgano nell'anima, anche se le mani spaccano la pietra o tendono il telaio?

Chi mai può separare la sua fede dai suoi atti e il suo credo dal suo lavoro?

Chi può disporre delle sue ore, dicendo, « Questa è per Dio e questa è per me; questa alla mia anima e questa al mio corpo? ».

Tutte le vostre ore, da l'uno all'altro, sono ali palpitanti nello spazio.

Chi porta la sua moralità come l'abito più bello, meglio sarebbe se se ne andasse nudo.

Il vento e il sole non scaveranno la sua pelle.

E chi si conforma all'etica per consolarsi, imprigiona in una gabbia il suo uccello canoro.

Il canto più libero non giunge tra i pali e tra le sbarre.

E chi adora come una finestra che si apre e si chiude, non ha ancora visitato la casa dell'anima che da aurora ad aurora ha finestre spalancate.

La vita quotidiana è il vostro tempio e la vostra religione.

Ogni volta che vi entrate, portate voi stessi.

Prendete l'aratro e la fucina e il martello e il liuto,

Le cose forgiate nel bisogno o nel diletto.

Poi che se meditate, non potrete elevarvi sopra la vostra gloria, né cadere più in basso delle vostre sconfitte.

And take with you all men:
For in adoration you cannot fly higher than their hopes nor humble yourself lower than their despair.

And if you would know God, be not therefore a solver of riddles.
Rather look about you and you shall see Him playing with your children.
And look into space; you shall see Him walking in the cloud, outstretching His arms in the lightning and descending in rain.
You shall see Him smiling in flowers, then rising and waving His hands in trees.

E prendete con voi tutti gli uomini:
Poi che se adorate, non potrete volare più in alto delle loro speranze, né umiliarvi sotto la loro disperazione.

E se volete conoscere Dio, non siate solvitori d'enigmi.
Piuttosto guardatevi intorno, e lo vedrete giocare con i vostri bambini.
E guardate lo spazio; lo vedrete camminare sulla nube, tendere le braccia nel bagliore del lampo e scendere con la pioggia.
Lo vedrete sorridere nei fiori, e sulle cime degli alberi sciogliere carezze.

Then Almitra spoke, saying, We would ask now of Death.

And he said:

You would know the secret of death.

But how shall you find it unless you seek it in the heart of life?

The owl whose night-bound eyes are blind unto the day cannot unveil the mystery of light.

If you would indeed behold the spirit of death, open your heart wide unto the body of life.

For life and death are one, even as the river and the sea are one.

In the depth of your hopes and desires lies your silent knowledge of the beyond;

And like seeds dreaming beneath the snow your heart dreams of spring.

Trust the dreams, for in them is hidden the gate to eternity.

Your fear of death is but the trembling of the shepherd when he stands before the king whose hand is to be laid upon him in honour.

Is the shepherd not joyful beneath his trembling, that he shall wear the mark of the king?

Yet is he not more mindful of his trembling?

For what is it to die but to stand naked in the wind and to melt into the sun?

And what is it to cease breathing but to free the breath from its restless tides, that it may rise and expand and seek God unencumbered?

Allora Almìtra parlò, dicendo: Vorremmo chiederti ora della Morte.

Ed egli disse:

Vorreste conoscere il segreto della morte.

Ma come scoprirlo, se non cercandolo nel cuore della vita?

Il gufo dagli occhi notturni, ciechi di giorno, non può svelare il mistero della luce.

Se davvero volete scorgere lo spirito della morte, spalancate il vostro cuore al corpo della vita.

Giacché la vita e la morte sono una cosa sola, così come il fiume e il mare.

In fondo alle vostre speranze e ai vostri desideri sta la muta conoscenza di ciò che è oltre la vita;

E, come il seme che sogna sepolto dalla neve, il vostro cuore sogna la primavera.

Fidatevi dei sogni, perché in loro si cela la porta dell'eterno.

La paura della morte non è che il tremito del suddito quando la mano del re gli si posa in fronte in segno d'onore.

Nel suo brivido, il suddito non è forse felice perché si ornerà di quel segno regale?

Non è tuttavia più preso dal suo tremore?

Poi che cos'è morire, se non stare nudi nel vento e disciogliersi nel sole?

E dare l'ultimo respiro, che cos'è se non liberarlo dal suo flusso inquieto, affinché possa involarsi finalmente e spaziare disancorato alla ricerca di Dio?

Only when you drink from the river of silence shall you indeed sing.

And when you have reached the mountain top, then you shall begin to climb.

And when the earth shall claim your limbs, then shall you truly dance.

Solo se bevete al fiume del silenzio, voi canterete veramente.

E quando avrete raggiunto la vetta del monte, allora incomincerete a salire.

E quando la terra chiederà le vostre ossa, allora danzerete veramente.

And now it was evening.

And Almitra the seeress said, Blessed be this day and this place and your spirit that has spoken.

And he answered, Was it I who spoke?

Was I not also a listener?

Then he descended the steps of the Temple and all the people followed him. And he reached his ship and stood upon the deck.

And facing the people again, he raised his voice and said:

People of Orphalese, the wind bids me leave you.

Less hasty am I than the wind, yet I must go.

We wanderers, ever seeking the lonelier way, begin no day where we have ended another day; and no sunrise finds us where sunset left us.

Even while the earth sleeps we travel.

We are the seeds of the tenacious plant, and it is in our ripeness and our fullness of heart that we are given to the wind and are scattered.

Brief were my days among you, and briefer still the words I have spoken.

But should my voice fade in your ears, and my love vanish in your memory, then I will come again,

And with a richer heart and lips more yielding to the spirit will I speak.

Yea, I shall return with the tide,

And though death may hide me, and the greater silence enfold me, yet again will I seek your understanding.

And not in vain will I seek.

E così si fece sera.
E disse Almìtra, l'indovina: Sia benedetto questo giorno e questo luogo, e lo spirito che uscì dalle tue labbra.
Ed egli rispose: Sono io che ho parlato?
Non sono stato anch'io un uditore?

Poi discese i gradini del tempio, e tutto il popolo lo seguì. E raggiunta la nave, restò in piedi sul ponte.
E nuovamente volgendosi alla folla, alzò la voce e disse:
Popolo d'Orfalese, vi lascio per ordine del vento.
Io non ho la sua premura, eppure devo andare.
Per noi, viandanti, eternamente in cerca della via più solitaria, il giorno non inizia dove finisce un altro giorno; e nessuna aurora ci trova dove il tramonto ci ha lasciato.
Mentre la terra dorme, noi navighiamo.
Noi siamo i semi della pianta tenace che, appena maturi come un cuore gonfio, il vento disperde.

I miei giorni tra voi furono brevi, e più brevi le mie parole.
Ma se la mia voce appassirà nelle vostre orecchie, e il mio amore svanirà nella vostra memoria, allora tornerò.
E vi parlerò con cuore più ricco, e con labbra più generose di spirito.
Certo ritornerò con la marea,
E ancorché possa rapirmi la morte e un vasto silenzio avvilupparmi, cercherò sempre la vostra comprensione.
E non cercherò invano.

If aught I have said is truth, that truth shall reveal itself in a clearer voice, and in words more kin to your thoughts.

I go with the wind, people of Orphalese, but not down into emptiness;

And if this day is not a fulfilment of your needs and my love, then let it be a promise till another day.

Man's needs change, but not his love, nor his desire that his love should satisfy his needs.

Know therefore, that from the greater silence I shall return.

The mist that drifts away at dawn, leaving but dew in the fields, shall rise and gather into a cloud and then fall down in rain.

And not unlike the mist have I been.

In the stillness of the night I have walked in your streets, and my spirit has entered your houses,

And your heart-beats were in my heart, and your breath was upon my face, and I knew you all.

Ay, I knew your joy and your pain, and in your sleep your dreams were my dreams.

And oftentimes I was among you a lake among the mountains.

I mirrored the summits in you and the bending slopes, and even the passing flocks of your thoughts and your desires.

And to my silence came the laughter of your children in streams, and the longing of your youths in rivers.

And when they reached my depth the streams and the rivers ceased not yet to sing.

But sweeter still than laughter and greater than longing came to me.

It was the boundless in you;

The vast man in whom you are all but cells and sinews;

He in whose chant all your singing is but a soundless throbbing.

It is in the vast man that you are vast,

And in beholding him that I beheld you and loved you.

Se ciò che ho detto è verità, dovrà rivelarsi in una voce più chiara, in parole più affini ai vostri pensieri.

Parto con il vento, o gente d'Orfalese, non già nel nulla;
Ma se oggi il mio amore non si è compiuto nelle vostre aspirazioni, di questo giorno fate almeno una promessa per un altro giorno.
L'uomo muta nelle esigenze, ma non nell'amore, e desidera sempre soddisfarle.
Sappiate dunque, voi tutti, che tornerò dal grande silenzio.
La nebbia che all'alba si dilegua, abbandonando sui campi la rugiada, si alzerà per raccogliersi in nube e disciogliersi in pioggia.
E io fui come la nebbia.
Nel silenzio della notte ho camminato per le strade, e il mio spirito è penetrato nelle case,
I vostri cuori mi palpitavano in cuore, e il vostro fiato mi si è posato sul volto, e vi ho conosciuto tutti.
Vi ho conosciuto nella gioia e nel dolore, e nel sonno i vostri sogni furono i miei sogni.
Tra voi, sovente, io sono stato un lago in mezzo alle montagne.
Specchiai le vostre vette e le rotonde chine, e anche il passo dei vostri greggi di brame e di pensieri.
Il riso dei bambini come ruscelli feriva il mio silenzio, e il desiderio ardente dei giovani, come fiumi.
E, chiusi nella mia profondità, questi ruscelli e questi fiumi canteranno ancora.
Ma assai più dolce del sorriso e più grande di ogni desiderio mi giunse
Il vostro infinito:
L'uomo immenso dove voi tutti siete cellule e nervi;
Nel suo coro la vostra voce non è che un muto singhiozzo.
È nell'uomo immenso che voi siete immensi.
È nel guardarlo che vi ho guardato e amato.

For what distances can love reach that are not in that vast sphere?

What visions, what expectations and what presumptions can outsoar that flight?

Like a giant oak tree covered with apple blossoms is the vast man in you.

His might binds you to the earth, his fragrance lifts you into space, and in his durability you are deathless.

You have been told that, even like a chain, you are as weak as your weakest link.

This is but half the truth. You are also as strong as your strongest link.

To measure you by your smallest deed is to reckon the power of ocean by the frailty of its foam.

To judge you by your failures is to cast blame upon the seasons for their inconstancy.

Ay, you are like an ocean,

And though heavy-grounded ships await the tide upon your shores, yet, even like an ocean, you cannot hasten your tides.

And like the seasons you are also,

And though in your winter you deny your spring,

Yet spring, reposing within you, smiles in her drowsiness and is not offended.

Think not I say these things in order that you may say the one to the other, « He praised us well. He saw but the good in us ».

I only speak to you in words of that which you yourselves know in thought.

And what is word knowledge but a shadow of wordless knowledge?

Your thoughts and my words are waves from a sealed memory that keeps records of our yesterdays,

And of the ancient days when the earth knew not us nor herself,

And of nights when earth was upwrought with confusion.

Wise men have come to you to give you of their wisdom. I came to take of your wisdom:

Giacché l'amore può forse uscire da questa sfera immensa?

Quali visioni e attese e orgogli si leveranno oltre quel volo?

Come la quercia gigantesca, carica di fiori, è il vostro uomo immenso.

La sua forza vi lega alla terra, la sua fragranza vi solleva nell'aria, e nella sua stagione voi siete immortali.

È stato detto che, nella catena, voi siete deboli come il vostro anello più debole.

Ma questo è vero a metà. Voi siete anche forti come il vostro anello più forte.

Misurarvi con il metro dell'azione più meschina è come calcolare la potenza dell'oceano dalla sua fragile spuma.

Giudicarvi dagli errori è come biasimare le stagioni per la loro incostanza.

Certo, voi rassomigliate all'oceano,

E benché le navi, pesanti di carichi, incagliate sulle vostre rive attendano le maree, così, come l'oceano, voi non potrete anticiparle.

E anche alle stagioni rassomigliate,

E benché il vostro inverno rinneghi la vostra primavera, essa, coricata in voi, sorride intatta e sonnolenta.

Non pensate che vi parli così, affinché commentiate: « Ci lodò per bene. E in noi non vide che il buono ».

Ma io vi dissi soltanto a parole quello che già il vostro pensiero sapeva.

E che cos'è la parola se non l'ombra della conoscenza inespressa?

I vostri pensieri e le mie parole sono le onde emanate da una chiusa memoria, testimone del nostro passato,

E degli antichi giorni in cui la terra ignorava noi e se stessa, nelle notti del caos.

Uomini savi vennero a darvi la saggezza. Io sono venuto a imparare da voi:

And behold I have found that which is greater than wisdom.

It is a flame spirit in you ever gathering more of itself,

While you, heedless of its expansion, bewail the withering of your days.

It is life in quest of life in bodies that fear the grave.

There are no graves here.

These mountains and plains are a cradle and a stepping-stone.

Whenever you pass by the field where you have laid your ancestors look well thereupon, and you shall see yourselves and your children dancing hand in hand.

Verily you often make merry without knowing.

Others have come to you to whom for golden promises made unto your faith you have given but riches and power and glory.

Less than a promise have I given, and yet more generous have you been to me.

You have given me my deeper thirsting after life.

Surely there is no greater gift to a man than that which turns all his aims into parching lips and all life into a fountain.

And in this lies my honour and my reward, –

That whenever I come to the fountain to drink I find the living water itself thirsty;

And it drinks me while I drink it.

Some of you have deemed me proud and over-shy to receive gifts.

Too proud indeed am I to receive wages, but not gifts.

And though I have eaten berries among the hills when you would have had me sit at your board,

And slept in the portico of the temple when you would gladly have sheltered me,

Yet it was not your loving mindfulness of my days and my nights that made food sweet to my mouth and girdled my sleep with visions?

E ho trovato qualcosa di più grande della loro saggezza.
La vostra fiamma spirituale più lucente di quella luce,
Mentre voi, distratti, al suo espandersi piangete lo sfiorire dei giorni.
E ho trovato la vita che anela alla vita, in corpi spaventati dalle tombe.

Qui non vi sono tombe.
Queste montagne e questi piani sono la culla e la pietra che facilita il guado.
Quando passate per il campo dove avete sepolto i vecchi, guardatevi intorno e vi vedrete con i figli danzare la mano nella mano.
In verità, sovente, voi giocate senza saperlo.

Altri uomini vennero a dare alla vostra fede promesse dorate e voi avete reso loro ricchezze, potenza e gloria.
Io vi ho dato meno che una promessa, eppure siete stati con me più generosi.
Mi avete reso la sete più profonda della vita.
Per un uomo non vi è certo dono maggiore che mutare ogni ragione in una bocca ardente e la vita in una fonte.
E qui sta il mio onore e la mia ricompensa,
Quando bevo alla fonte trovo l'acqua viva, anch'essa assetata;
E mentre io la bevo essa mi beve.
Tra voi, qualcuno mi ha stimato troppo fiero per ricevere doni.
Invece io sono troppo fiero non per accettare un dono, ma un merito.
E sebbene abbia mangiato bacche di collina quando mi avreste ospitato alla mensa,
E dormito nel portico del tempio quando con gioia mi avreste dato asilo,
Non è stata forse la vostra amorosa premura che di giorno e di notte rendeva dolce il cibo nella mia bocca e le visioni nel mio sonno?

For this I bless you most:
You give much and know not that you give at all.
Verily the kindness that gazes upon itself in a mirror turns to stone,
And a good deed that calls itself by tender names becomes the parent to a curse.

And some of you have called me aloof, and drunk with my own aloneness,
And you have said, «He holds council with the trees of the forest, but not with men.
He sits alone on hill-tops and looks down upon our city ».
True it is that I have climbed the hills and walked in remote places.
How could I have seen you save from a great height or a great distance?
How can one be indeed near unless he be far?

And others among you called unto me, not in words, and they said:
« Stranger, stranger, lover of unreachable heights, why dwell you among the summits where eagles build their nests?
Why seek you the unattainable?
What storms would you trap in your net,
And what vaporous birds do you hunt in the sky?
Come and be one of us.
Descend and appease your hunger with our bread and quench your thirst with our wine ».
In the solitude of their souls they said these things;
But were their solitude deeper they would have known that I sought but the secret of your joy and your pain,
And I hunted only your larger selves that walk the sky.
But the hunter was also the hunted;
For many of my arrows left my bow only to seek my own breast.
And the flier was also the creeper;
For when my wings were spread in the sun their shadow upon the earth was a turtle.
And I the believer was also the doubter;

Perciò io vi benedico ancora:
Voi date molto e lo ignorate.
In verità la cortesia che si ammira allo specchio si tramuta in pietra,
E una buona azione che si lusinga è madre di una maledizione.

Qualcuno di voi mi ha giudicato distante ed esaltato nella mia solitudine,
E avete detto, « Non discute con gli uomini, ma con gli alberi della foresta.
Siede solitario sulle vette dei monti e scruta dall'alto la nostra città ».
È vero: ho scalato montagne e attraversato contrade remote.
Ma come avrei potuto vedervi, se non a grande distanza e da grande altitudine?
In verità, come sarete vicini, se non siete lontani?

Altri di voi mi hanno detto in una tacita rivolta,
« Straniero, straniero, amante di irraggiungibili altezze, perché vivi sulle cime dove l'aquila nidifica?
Perché ricerchi l'impossibile?
Quali tempeste vorresti imprigionare,
E quali uccelli invisibili insegui nel cielo?
Vieni e sii come noi.
Discendi, sfamati con il nostro pane e dissetati con il nostro vino ».
Così pensarono nella solitudine dell'anima;
Ma se la loro solitudine fosse stata più profonda avrebbero capito che cercavo il segreto della vostra gioia e del vostro dolore,
E inseguivo soltanto il vostro Immenso librato nel cielo.
Ma il cacciatore è stato anche la preda;
Poi che molte frecce mi si staccarono dall'arco, cercando il mio petto.
E il volatile è stato anche il rettile;
Poi che quando le mie ali si tesero nel sole, la loro ombra imitò la tartaruga sulla terra.
E il credente è stato anche l'incredulo;

For often have I put my finger in my own wound that I might have greater belief in you and the greater knowledge of you.

And it is with this belief and this knowledge that I say,
You are not enclosed within your bodies, nor confined to houses or fields.
That which is you dwells above the mountain and roves with the wind.
It is not a thing that crawls into the sun for warmth or digs holes into darkness for safety,
But a thing free, a spirit that envelops the earth and moves in the ether.

If these be vague words, then seek not to clear them.
Vague and nebulous is the beginning of all things, but not their end,
And I fain would have you remember me as a beginning.
Life, and all that lives, is conceived in the mist and not in the crystal.
And who knows but a crystal is mist in decay?

This would I have you remember in remembering me:
That which seems most feeble and bewildered in you is the strongest and most determined.
Is it not your breath that has erected and hardened the structure of your bones?
And is it not a dream which none of you remember having dreamt, that builded your city and fashioned all there is in it?
Could you but see the tides of that breath you would cease to see all else,
And if you could hear the whispering of the dream you would hear no other sound.

But you do not see, nor do you hear, and it is well.
The veil that clouds your eyes shall be lifted by the hands that wove it,
And the clay that fills your ears shall be pierced by those fingers that kneaded it.

Poi che sovente immersi il dito nella piaga, per conoscervi e credere in voi.

Con questa fede e con questa coscienza vi dico,
Non siete rinchiusi nel corpo, né confinati nelle case o nei campi.
Quello che siete dimora sui monti ed erra nel vento.
Non è qualcosa che striscia al sole per scaldarsi, o scava nel buio per trovare un rifugio,
Ma è qualcosa di libero, uno spirito che avvolge la terra e vaga nell'etere.

Se le mie sono vaghe parole, non provate a chiarirle.
Nebuloso e vago è il principio di ogni cosa, ma non la fine,
E allora simile a un principio ricordatemi.
La vita, e tutto ciò che vive, non è concepito nel cristallo, ma nella nebbia.
E chi sa se il cristallo non è la nebbia svanita?

Ricordandomi, non scordatevi di questo:
Ciò che in voi sembra più fragile e confuso, è più forte e più preciso.
Non è forse il respiro che vi ha eretto e temprato lo scheletro?
E non è forse il sogno, che avete già dimenticato, che ieri vi costruì la città, edificando ogni cosa?
Se solo voi poteste scorgere il flusso di tale respiro, non vorreste vedere più nulla,
E se solo poteste udire il mormorio di tale sogno, non vorreste ascoltare altro suono.

Ma voi siete ciechi e sordi, e questo è un bene.
Il velo che vi offusca gli occhi, cadrà per mano del suo tessitore,
E la creta che vi mura le orecchie, sarà bucata dalle dita che l'anno impastata.

And you shall see.
And you shall hear.
Yet you shall not deplore having known blindness, nor regret having been deaf.
For in that day you shall know the hidden purposes in all things,
And you shall bless darkness as you would bless light.

After saying these things he looked about him, and he saw the pilot of his ship standing by the helm and gazing now at the full sails and now at the distance.
And he said:
Patient, over patient, is the captain of my ship.
The wind blows, and restless are the sails;
Even the rudder begs direction;
Yet quietly my captain awaits my silence.
And these my mariners, who have heard the choir of the greater sea, they too have heard me patiently.
Now they shall wait no longer.
I am ready.
The stream has reached the sea, and once more the great mother holds her son against her breast.

Fare you well, people of Orphalese.
This day has ended.
It is closing upon us even as the water-lily upon its own to-morrow.
What was given us here we shall keep,
And if it suffices not, then again must we come together and together stretch our hands unto the giver.
Forget not that I shall come back to you.
A little while, and my longing shall gather dust and foam for another body.
A little while, a moment of rest upon the wind, and another woman shall bear me.
Farewell to you and the youth I have spent with you.
It was but yesterday we met in a dream.
You have sung to me in my aloneness, and I of your longings have built a tower in the sky.
But now our sleep has fled and our dream is over, and it is no longer dawn.

E voi vedrete.
E voi udrete.
Ma non vi dispiacerà di essere stati sordi e ciechi.
Giacché conoscerete in quel giorno la ragione occulta di ogni cosa.
E così benedirete l'ombra, come benedireste la luce.

Ciò detto, si guardò intorno e vide il nocchiero alla barra del timone scrutare le vele gonfie e l'orizzonte.
E disse:
Troppo paziente è stato il pilota della mia nave.
Soffia il vento e le vele sono inquiete;
Anche il timone chiede la sua rotta;
Eppure il pilota ha atteso con calma il mio silenzio.
E questi marinai, che già intendono le voci del mare aperto, hanno saputo ascoltarmi, pazienti.
Ma non mi aspetteranno più a lungo.
Sono pronto.
Il fiume è sfociato alla marina, e la grande madre accoglie nuovamente nel suo grembo il figlio.

Addio, popolo d'Orfalese.
Questo giorno è finito.
Si sta chiudendo su di noi come il giglio acquatico sul proprio domani.
Noi serberemo quello che oggi ci è stato donato,
E se non basterà, ci riuniremo di nuovo per tendere insieme le mani al donatore.
Ricordatevi che tornerò fra di voi.
Un attimo: e il mio anelito raccoglierà saliva e polvere per un altro corpo.
Un attimo: e in una breve calma di vento un'altra donna mi partorirà.
A voi e alla giovinezza trascorsa in mezzo a voi, addio.
In sogno, appena ieri ci siamo incontrati.
E avete cantato per me solitario, e con il vostro ardore io ho costruito una torre nel cielo.
Ora in voi si è perduto il mio sonno, si è dileguato il sogno e si è spenta l'aurora.

The noontide is upon us and our half waking has turned to fuller day, and we must part.

If in the twilight of memory we should meet once more, we shall speak again together and you shall sing to me a deeper song.

And if our hands should meet in another dream we shall build another tower in the sky.

So saying he made a signal to the seamen, and straightaway they weighed anchor and cast the ship loose from its moorings, and they moved eastward.

And a cry came from the people as from a single heart, and it rose into the dusk and was carried out over the sea like a great trumpeting.

Only Almitra was silent, gazing after the ship until it had vanished into the mist.

And when all the people were dispersed she still stood alone upon the sea-wall, remembering in her heart his saying:

« A little while, a moment of rest upon the wind, and another woman shall bear me ».

Il mattino preme, il dormiveglia si è fatto giorno pieno; dobbiamo separarci.

Se ci rincontreremo in qualche memoria tramontata, parleremo insieme e intonerete un canto più profondo.

E se le nostre mani si stringeranno in altri sogni, costruiremo un'altra torre nel cielo.

Così dicendo, fece un segno ai marinai, ed essi tolsero le àncore, staccarono gli ormeggi, e la nave salpò verso l'Oriente.

E un urlo levatosi dal popolo, come da un cuore solo, ferì l'oscurità, e fu ghermito dal mare in uno squillo di tromba.

Solo Almìtra restò silenziosa a fissare la nave, finché non svanì nella nebbia.

E quando la gente si disperse, indugiò sola, in piedi sul molo, ripetendo nel cuore le parole:

« Un attimo: una breve calma di vento, e un'altra donna mi partorirà ».

Appendice iconografica

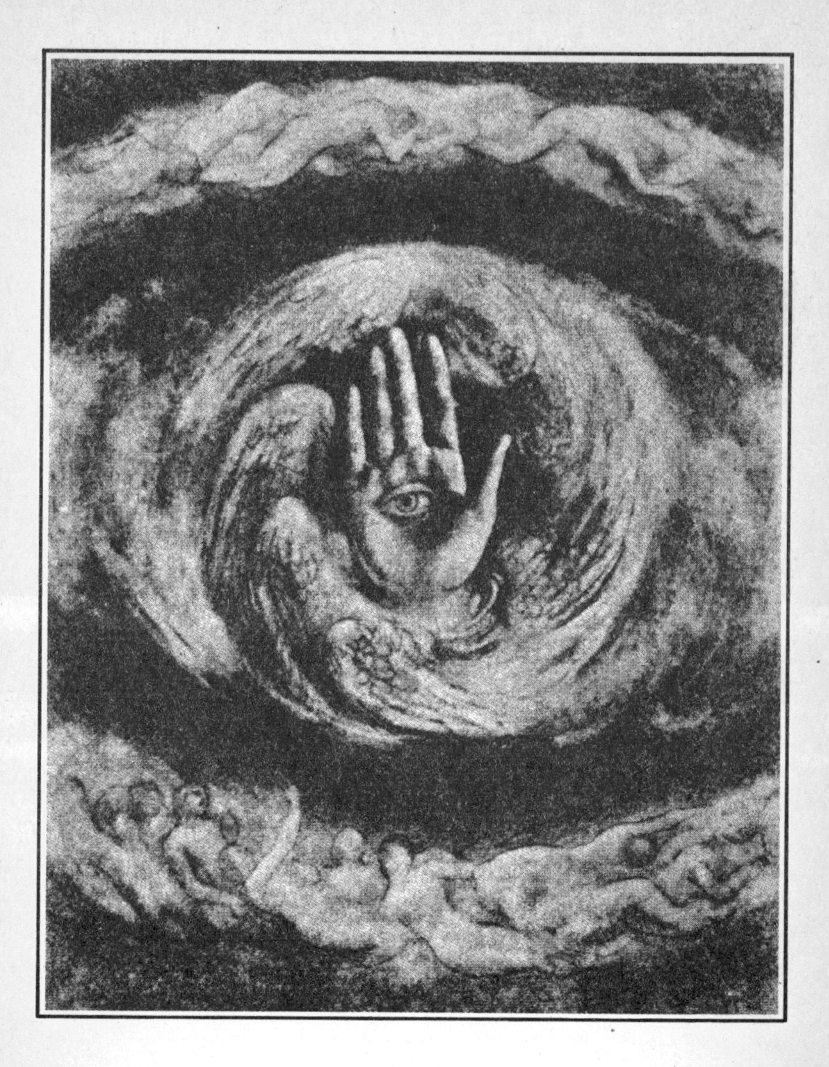

Indice

Finito di stampare
nel mese di febbraio 1992
per conto della Ugo Guanda S.p.A.
dalle Grafiche Artabano di Omegna
Printed in Italy